C000179000

DU MÊME AUTEUR

Aux Éditions Gallimard

FAIRE LE MORT, roman, 2001.

BAUDELAIRE EN PASSANT, essai, 2003.

LES FANTÔMES DU MUET, essai, 2007.

UN AMOUR SANS PAROLES, récit, 2009.

CARNET D'ADRESSES, 2010.

L'INCONNUE DE LA SEINE, roman, 2012. Prix Roland de Jouvenel de l'Académie française 2013.

LEÏLAH MAHI 1932, enquête, 2015. Prix Renaudot essai 2015. Folio nº 6386 augmenté d'un post-scriptum inédit.

LE FIGURANT, roman, 2018.

Aux Éditions La Pionnière

LE LIEU DU CRIME, 2009.

RÉPERTOIRE DES DOMICILES PARISIENS DE QUELQUES PERSONNAGES FICTIFS DE LA LITTÉRATURE, 2010.

Chez d'autres éditeurs

GAZ À TOUS LES ÉTAGES, nouvelles, Orban, 1985.

LES VOLEURS DE VISAGES. SUR QUELQUES CAS TROUBLANTS DE CHANGEMENTS D'IDENTITÉ : ROCAMBOLE, ARSÈNE LUPIN, FANTÔMAS & CIE, essai, Métailié, 1992. Prix Fantômas 1992.

CAFÉS, ETC.

Didier Blonde

CAFÉS, ETC.

MERCVRE DE FRANCE

à Martine

Je demeurai longtemps derrière un Vittel-menthe

ARAGON

Porte tournante

J'entre dans un café comme dans un roman. Début *in medias res*. Je prends l'histoire en cours, au milieu d'une phrase, les premiers mots sont des visages, une image d'ensemble. Une façon de piquer ma curiosité. *Captatio benevolentiae*. J'attends une surprise, quelque chose de nouveau. Qui m'attire – ou me repousse.

Chaque salle a son registre, qui tient à son atmosphère, son style, son rythme, comme une petite musique, son décor, sa disposition, sa lumière, éblouissante, tamisée, froide, une manière dont les voix se posent, avec ses personnages, épisodiques ou périodiques, que je pourrais retrouver d'un jour sur l'autre (la plupart n'ont pas de nom, ils me resteront toujours inconnus, sauf le patron, la serveuse, et quelques habitués, qui en sont les héros ordinaires). Les pages se tournent toutes seules au fil des heures, en redistribuant les rôles, je les feuillette distraitement, comme celles d'un livre d'images, je perds le fil, l'histoire se fait et se défait, par arrivées et départs, sans début ni fin (mais qu'est devenue la femme en gants et turban, qui venait là chaque jour boire une coupe de champagne ? – et l'homme à l'imperméable, col relevé, qui s'y faisait adresser – clandestinement – son courrier comme à un bureau de poste restante ? Des figures familières disparaissent, d'autres les remplacent, le feuilleton continue).

Il m'arrive, parfois, à peine entré, de ressortir. Non, je le vois bien, ici, ce n'est pas mon genre, pas de place qui me convienne, trop de bruit, de lumière, de musique, de télévision, de soliloques au téléphone, je ne m'y reconnais pas, aucun visage qui me retienne, un coup d'œil m'a suffi, allons voir ailleurs – cette histoire n'est pas pour moi.

Ticket de caisse

Il me donne le lieu, le jour et l'heure, à la minute près, avec le numéro de ma table. C'est tout un programme, en miniature, qui est glissé furtivement sous ma soucoupe, face cachée. *Prix net, TVA et service compris, Merci de votre visite, À bientôt.* La caisse au bout du comptoir enregistre la trace d'un instant et me délivre une attestation de présence. Je le conserve comme marque-page de la lecture du moment, note, dans son dos, deux mots, il me servira, des années plus tard, un peu pâli, d'aide-mémoire pour reconstituer le calendrier de mes visites, la cartographie de mes déplacements, et de mes rêveries. La feuille volante d'un agenda du temps perdu.

Il porte, en titre majuscule, le nom de l'établissement, mais c'est celui du serveur, ou de la serveuse, que je regarde en premier, comme on prend connaissance d'un mot de passe – celui-là en petits caractères, presque invisible. Mario, Isabelle, Étienne, Jeanne, Karim, Matthias, Marina, Tanguy, Jérôme... À moins qu'il ne se cache, lui aussi, derrière de simples initiales, ou son rôle, anonyme et strictement fonctionnel, de « serveur n° 1 ».

Ici, au Paris Rome, elle s'appelle Marta. Elle est nouvelle. C'est une petite brune de vingt ans, au teint mat, dont les cheveux, tenus par un bandeau, se relèvent en un toupet rebelle au sommet de la tête. Elle porte l'uniforme de la maison, polo mauve, pantalon moulant et court tablier noirs. Une étudiante, peut-être, aux jambes longues, qui travaille le week-end pour payer ses études. À moins qu'elle ne débute dans le métier et soit en apprentissage.

Je l'observe circuler entre les tables, prendre les commandes, servir les clients, sans se presser, presque nonchalante, on dirait qu'elle se promène, en visite, elle semble glisser sur ses ballerines, on l'entend à peine, mais reste attentive à tout ce qui se passe. A-t-elle bien écouté les recommandations du gérant ? Tandis que les autres serveurs s'agitent, elle suit une chorégraphie personnelle, très étudiée, pleine de raffinement et de délicatesse, qui ne doit rien aux règles habituelles de la profession. On dirait une canéphore antique. La grande ordonnatrice du lieu. Léger déhanchement, torsion du buste, tout en douceur, lent mouvement de bascule de la jambe qui se relève en arrière et équilibre dans un geste suspendu et une figure parfaite celui du bras opposé tenant le plateau haut perché, pour se pencher, au ralenti, et poser une bouteille, un verre, ma tasse.

Elle m'a souri, s'éloigne, fait le tour par la terrasse, son plateau sous le bras, débarrasse une table, revient vers la caisse, repasse devant moi avec un nouveau sourire. Elle sait que des regards la suivent, auxquels elle ne répond pas, s'attardent sur la forme de sa taille, étroite, ses hanches, qu'elle balance légèrement. La poitrine un peu plate. Une fossette au creux des joues. Peut-être y prend-elle un certain plaisir.

Marta. Un nom qui lui va bien, me dis-je en le répétant intérieurement, et me donne envie déjà d'en savoir plus. Comme si je disposais maintenant d'un pouvoir sur elle, celui de voir sans être vu. Elle s'offre, à demi. Se défait, en partie, de son uniforme réglementaire. Ces yeux, ce sourire, ces hanches et ces jambes sont ceux d'une jeune fille, qui s'appelle Marta. Je pourrais lui faire signe, la faire venir à moi, tourner son nom dans ma tête pour mieux la voir, faire durer mon plaisir, la faire parler pour entendre encore son léger accent, indéfinissable, tout en restant dissimulé derrière mon anonymat.

Mais cette connivence muette est illusoire. Ce n'est jamais qu'un prénom, qui n'a rien d'une confidence, presque interchangeable, moins indiscret qu'il n'y paraît, et n'établit qu'une fausse proximité. Est-ce à moi qu'il est destiné – ou au patron, pour mieux vérifier les comptes en fin de journée? De moi, elle ne sait rien. Je suis, aujourd'hui, le client de la « table 405 », celle du fond. Les présentations se font à sens unique.

Elle est en train de réajuster tranquillement son bandeau dans la glace, essaie, sans y parvenir, de faire disparaître son toupet rebelle, s'attarde un peu, se regarde, elle a l'air de se plaire, se pince les lèvres, resserre dans son dos le nœud de son tablier, avant de venir me rendre la monnaie. Un dernier sourire.

Je ne lui demanderai pas à quelle heure elle finit son service. Redevenue à ce moment-là une femme comme une autre, elle aura perdu son aura d'officiante et d'actrice, et moi mon privilège d'incognito.

« Un café allongé »

La tasse est posée au centre de la table. Je prends mon temps. Me concentre, avant de procéder à un petit rituel profane. Je la fais tourner légèrement du bout des doigts, pour que l'anse trouve sa place exacte, sur le côté, dans l'axe, et en redouble les courbes. J'écarte le morceau de sucre enveloppé de son papier, la cuillère, elle aussi inutile, pour découvrir alors une œuvre d'art éphémère, une *nature morte* ou un *ready-made*, un peu austère dans sa sobriété, sans prétention. Il ne faudrait pas en déranger les lignes à la géométrie parfaite. Les formes sont douces, rondes, lisses, la soucoupe l'évase, se déploie comme une corolle, lui donne son équilibre. C'est une fleur de porcelaine, incassable, qui accroche des liserés de lumière. En blanc et noir.

J'attends. Je la regarde. Je la détache lentement de son socle. Je chauffe le creux de ma main à son contact. Je la porte à mes lèvres, retiens mon geste, hume son parfum. Une légère écume s'est déposée à la surface, s'agrippe sur les bords intérieurs, s'étire, s'effiloche, dessine des formes inconnues qui se métamorphosent, un paysage, ou des créatures fantastiques, dragons, falaises, ciels, abîmes, naufrages – de petites bulles rêveuses éclatent silencieusement, une à une. Le noir vire au brun. Se lisse comme un miroir. Qu'y a-t-il à déchiffrer à cet instant? C'est une *vanité*, peut-être, celle d'un plaisir fugitif, qui va bientôt s'effacer. Je m'anéantis dans sa contemplation.

Le liquide brûlant, noir et amer, que je bois à petites gorgées, est bien propre à réveiller ma conscience.

Le verre d'eau

Il est petit, fruste, des plus ordinaires, en gros verre blanc, décoré de larges cannelures, je le bois d'un trait. Il mouille un peu la table. Pas d'objet plus humble, plus léger, plus nu, apparemment sans histoire, servi sans aucun accessoire. Un mince dépôt de calcaire peut-être commence à l'opacifier, trace quelques larmes sur ses bords. Son fond, une fois vidé, fait danser devant mes yeux, en transparence, le décor qui tourne, se déforme comme à travers les lentilles d'un kaléidoscope. Il donne envie de jouer.

L'eau est celle du robinet. Elle est bonne à

20

Paris (je n'en bois pas d'autre). Vraiment inco-
lore, inodore et sans saveur, ce qui est sa défi-
nition. Elle vous fait retrouver le *goût de l'eau*,
souvent perdu depuis l'enfance, avec celui de
la nature, que nous ne voyons guère dans notre
environnement de citadins. Une sensation de
fraîcheur, de pureté vous pénètre, qui vous
débarrasse de vos soucis, vous met de bonne
humeur sans que vous sachiez pourquoi, c'est
si peu de chose. Vous vous sentez exister. Un
mince filet coule au fond de votre gorge, qui
s'éclaircit, avec vos idées. Votre langue, votre
palais revivent. Murmure d'un ruisseau à votre
oreille, source cristalline. Vous respirez mieux.
Bien-être. Légèreté. N'insistons pas. C'est un
petit miracle quotidien, à portée de main.

Il accompagne la tasse de café, comme son
complément, ou son prélude, pour mieux en
apprécier l'arôme, mais, contrairement à une
idée reçue, cela n'a rien d'automatique, il faut
penser à le demander. Vous y avez droit. On vous
en servira un pour rien, au comptoir, avec une
heure pour le boire, montre en main, comme le
rappelle la loi, et avec les mêmes égards que si
vous commandiez une coupe de champagne (n'y
revenez quand même pas trop souvent).

C'est la part du pauvre. Il y a quelque chose de réconfortant à savoir qu'il existe encore aujourd'hui un endroit où l'on peut s'offrir un plaisir simple, *gratis*, et non frelaté, qui ignore tout profit.

« *Et pour vous, qu'est-ce que ce sera ?* »

Vous êtes plutôt thé ou café ? Bière ou vin ? Eau plate ou gazeuse ?

Vous vous installez en terrasse, au comptoir ou dans la salle ? « En vitrine » ou à la table du fond ?

Comment appelez-vous le serveur ? « Garçon ! », « Monsieur ! », « S'il vous plaît », en levant la main ? À voix haute ou discrètement ? Attendez-vous qu'il passe près de vous ?
Et la serveuse, c'est « Mademoiselle » ?

Lisez-vous le journal ? Un livre ? Consultez-vous votre téléphone portable ? Répondez-vous si on vous appelle ?
Préférez-vous rêver ?

Y avez-vous fait une rencontre amoureuse
– qui a changé votre vie?

Venez-vous de temps en temps y regarder un
match de football?

Quand êtes-vous venu dans un café pour
la dernière fois? Aujourd'hui? Hier? Cette
semaine? Le mois dernier? Il y a plus d'un an?

Combien de temps y restez-vous en
moyenne? Moins d'une demi-heure? Environ
une heure? Deux heures ou plus?

Vous est-il arrivé de quitter les lieux sans
régler votre consommation?

Chaise ou banquette

Elle ne m'a pas laissé le choix, s'est affalée
aussitôt sur la banquette en poussant un soupir
de satisfaction. J'ai pris la chaise.

Notre face-à-face est d'emblée déséquilibré.
Elle s'enfonce, s'adosse – la moleskine, surtout

quand elle est usagée et fatiguée, c'est quand même plus confortable –, prend ses aises, s'étale, pose ses affaires à côté d'elle, balaie la salle d'un coup d'œil, dans mon dos, fait un signe à la serveuse, que je ne peux pas voir. Elle profite de sa situation, s'approprie le lieu. Je reste droit sur mon siège, comme sur la sellette, un peu raide, privé de tout ce qui se déroule hors de ma vue et semble tellement l'intéresser. Mon champ de vision rétréci à notre vis-à-vis, à la table, au mur, avec ses publicités, juste au-dessus d'elle.

Notre mise en place reflète-t-elle notre relation, l'humeur du moment, un rapport au monde, un choix existentiel – ou les codes surannés d'une politesse qui laissent aux femmes – et aux enfants – le privilège de la banquette ?

Quand nous avons rendez-vous, je prends mes précautions pour arriver en avance, et m'installer *du bon côté*, en escamotant les convenances.

Ces deux femmes âgées, un peu plus loin, que j'aperçois de profil en me tordant le cou pour tourner la tête, ont réglé la question depuis longtemps. Elles se partagent égalitairement la banquette, côte à côte. C'est qu'elles viennent ici, chaque jour, au premier rang, pour regarder. Pomponnées, permanentées, joues mauves, lèvres rouge vif, deux sœurs peut-être, presque jumelles à force d'être ensemble – devant deux grandes bières, modèle « sérieux ». Elles sont au spectacle, ne perdent rien de ce qui se passe dans la salle, qu'elles agrémentent de leurs commentaires, à voix basse. C'est leur grande distraction.

Peut-être aurais-je dû la prévenir. Cette amie ne sait pas que je souffre du complexe d'Al Capone. On ne sait jamais ce qui peut surgir derrière soi. Côté banquette, toujours, pour garder le dos au mur.

Au comptoir

Il faut se le partager. Aux heures d'affluence, je dois me frayer un chemin pour l'atteindre, de profil, le bras tendu, avec difficulté. J'y renonce parfois. On m'y serre les coudes, ou les épaules. La parole est brève, interrompue, elle circule, je passe souvent mon tour, elle rebondit de l'un à l'autre, ou se perd dans le brouhaha, sous le regard du patron ou du serveur, imperturbables, taciturnes, que l'on prend à témoin pendant qu'ils s'activent sur la pompe à bière ou la machine à café, cœur chauffant de l'établissement. On vient y prendre les nouvelles et commenter à mots prudents l'actualité du jour. Pas d'intimité, mais un pêle-mêle rapide et confus des formules d'usage.

Il m'arrive d'y faire des connaissances. Cela n'engage à rien. Les rencontres sont sans lendemain. C'est le lieu du groupe, indifférencié, du brassage social, de toutes les couleurs, où se retrouvent à un moment ou à un autre tous les personnages des films de Claude Sautet, *Vincent, François, Paul et les autres* (dans *Quelques jours avec moi*, on l'aperçoit lui-même, en pleine conversation, accoudé au bar, en train de diriger ses acteurs. Quel autre cinéaste sait aussi bien justifier les déplacements, d'un mouvement de travelling, du comptoir, bruyant, désordonné, vers une table de la salle, pour des apartés plus discrets ? – deux lieux en un, chacun dans son registre).

J'y avale rapidement un express le matin, pour m'aider à sortir de moi et renouer avec les vivants. À midi les ouvriers du chantier voisin en bleu de travail taché de plâtre, de peinture ou de cambouis y côtoient des employés de bureau, cravate relâchée, veste sur l'épaule. On n'est jamais si près des autres. En fin d'après-midi ce sont des demis à la chaîne, des petits blancs à répétition, qui libèrent un peu plus la parole pour passer la journée en revue, et se transforment, le soir, en débriefing de toute une vie.

Journaux

Ils sont empilés à l'extrémité du comptoir ou suspendus à leur baguette près de l'escalier qui descend aux toilettes. Les habitués se les accaparent, ne les cèdent, ou les prêtent, que contre échange comme s'ils leur appartenaient en propre. *Libération*, *L'Équipe*, *Les Échos*, *Le Figaro*... À chacun son roman « vrai » de la journée. Je parviens à intercepter *Le Parisien* qui vient de se libérer.

Aujourd'hui, mercredi 13 septembre 2017. Comment le monde se porte-t-il ? Ouragan Irma : Emmanuel Macron poursuit sa visite aux Antilles. Entre annonces et coups de com : quel bilan ? Paris décroche les JO 2024 : Les larmes d'Anne Hidalgo à la proclamation des résultats du vote. Rentrée scolaire : « Pour ma fille, c'est un bonheur d'aller à l'école. » Les pompiers interviennent pour aider un collégien au doigt coincé dans une chaise. Noyaux d'abricots : Attention à l'intoxication au cyanure. Narbonne : Témoin d'un accident, l'ouvrier récupère les doigts de la victime. Toulouse : Surexcité, il blesse trois passants et deux policiers en criant « Allah akbar ! ». Béziers : Il dégrade la voiture de son voisin et se suicide en lui laissant un chèque pour la réparer. Santé mentale : Être végétarien multiplierait les risques de dépression. Immobilier : Le prêt à taux zéro reconduit mais recadré. Coupe Davis : Les Bleus joueront à ciel ouvert. Cinéma : La parité hommes femmes n'est pas au rendez-vous de la fiction française. Sorties ce mercredi : *Le Redoutable* de Michel Hazanavicius. *Nos années folles* d'André Téchiné. Métro parisien : Les ascenseurs de la station Abbesses bientôt remis en service. Affaire Grégory : Marcel Jacob est au bord du gouffre, dit son avocat. Météo : Temps couvert en Île-de-France. Nécrologies : est-ce que je connais quelqu'un ? Je suis de plus en plus attentif aux dates, aux âges, ce n'est pas encore mon tour. Horoscope : on parle même de moi, sans insister. Lion, dernier décan, les planètes vous laissent une page blanche à écrire à votre guise.

Est-ce que je peux me reconnaître dans cette actualité ? Je regarde mes voisins, et je me dis que nous vivons tous entre la cote du CAC 40 (5 127 points, en hausse de 0,16 %) et les programmes télévisés de ce soir (*Esprits criminels*, série sur TF1. *L'Énigme Francis Bacon*, documentaire sur Arte. Football : Ligue des champions, Leipzig-Monaco, sur Canal+).

J'ajoute un mot à la grille des mots croisés déjà à moitié remplie par des écritures différentes (VII Horizontal. Vous y êtes, en trois lettres. ICI).

(Je me souviens que c'est au Café de l'Europe, en lisant le journal *Le Siècle*, devant un pot de bière, que Victor Hugo, en voyage avec Juliette Drouet, a appris que sa fille Léopoldine s'était noyée cinq jours plus tôt dans la Seine. Elle avait dix-neuf ans.)

Toilettes

Elles se cachent, comme s'il s'agissait d'un lieu clandestin, malfamé, on doit demander le chemin pour les trouver, interroger le serveur. C'est toujours « au fond », « au sous-sol », parfois « en haut ». Il faut bien y aller, de temps en temps, souvent à peine arrivé, pour avoir l'esprit libre, ou avant de s'en aller, par précaution. On ne descend pas les marches sans une petite appréhension. *Hommes. Dames. Prière de laisser cet endroit aussi propre que vous l'avez trouvé en entrant.* Quelques graffitis, à l'imagination pauvre, et inusables. En haut, c'est la vie sociale, polie, boutonnée; en bas, l'hygiène, la vie organique, ses borborygmes, l'envers du décor, ou ses dessous. On urine, en apnée, on se lave les mains du bout des doigts, en évitant de croiser un regard, on se remaquille, pour remonter vite fait à la surface, et respirer à l'air libre. Peut-être se livre-t-on ici à de petits trafics? On risque d'y faire une mauvaise rencontre. Une planque à drogue est-elle dissimulée dans le faux plafond ou derrière la chasse d'eau?

Sans nous y faire mettre les pieds, Jean Eustache y raconte dans son film en deux parties

(« Document », « Fiction ») une même « sale histoire » de voyeurisme (cela se passe à La Motte-Picquet-Grenelle, mais il ne dit pas dans quel café). Un trou percé au bas de la porte des Dames offre un beau point de vue aux Messieurs intéressés, qui se passent le mot, défilent. L'accès est gratuit, la position, au ras du sol, peu confortable. Mais le spectateur, frustré, ne voit rien qu'une conversation de salon entre gens respectables).

On y trouvait autrefois également, contiguë, une cabine téléphonique – réservée aux consommateurs. « Allez-y, je vous branche la ligne. » Ou un taxiphone, à jetons, que l'on se procurait à la caisse. (Que faut-il penser de cette proximité ? La même exiguïté, peut-être. On s'y trouve seul, enfermé, à l'abri des regards ou des oreilles indiscrètes. En état d'impatience, souvent obligé de faire la queue, en attendant que la place se libère.) Le cinéma en noir et blanc en a fait souvent un lieu de suspense – la vie ne tient parfois qu'à un fil – auquel le téléphone portable a mis fin. (Flipper, billard, baby-foot, juke-box, piste de 421, jeu de fléchettes, de dames, d'échecs ou de cartes et autres accessoires dramaturgiques ont également disparu. On peut le regretter, ou se dire que la salle de café a atteint ainsi une forme d'épure, pour être réduite à ce qu'elle est, un simple lieu de paroles, et à ce que chacun y apporte, sa propre histoire.)

Mario, le serveur du Paris Rome, met en garde les clients qui s'apprêtent à y descendre. « Faites attention au chien. Il est pas commode aujourd'hui. Donnez-lui un sucre, ça le calmera. » On hésite.

Objets trouvés

Le 25 avril 1921, le groupe Dada, réuni comme d'habitude au Certa, passage de l'Opéra, trouve un portefeuille, celui du garçon, bien chargé, il contient la recette de fin de journée. Plus de mille francs, dit-on. On discute pour savoir ce qu'il faut décider. Les avis divergent. L'enjeu est politique et éthique. Le rendre ? Garder l'argent ? Pour le boire ? Ou financer un numéro de la revue ? Le tirer au sort ? Le jeter dans une poubelle ? Le garçon n'est pas un prolétaire, c'est un vulgaire domestique, tant pis pour lui. À bas la morale bourgeoise. Il est tard, la conversation s'éternise, et s'échauffe. On reporte la poursuite du débat au lendemain soir, même endroit, en confiant l'objet de la controverse à Éluard – qui le restitue dans la journée à son propriétaire, anonymement (mais il y manque un billet de cinquante francs, paraît-il). Breton se fâche avec Éluard à cette occasion, Picabia avec Breton, et l'incident déclenche une réaction en chaîne qui conduit à la désagrégation du groupe.

Juin 2017. Un homme d'une trentaine d'années, selon la déclaration de la gérante de cet établissement du 18e arrondissement, n'est pas revenu chercher le sac qu'il a oublié en terrasse (volontairement, sans doute) et dans lequel elle a découvert – trop tard – soixante et une copies de mathématiques du bac (série ES), à corriger. Les candidats ont été convoqués pour repasser l'épreuve.

Mars 2018. Une jeune femme est revenue, affolée, dix minutes après être partie du Nord Sud en compagnie d'une amie : elle avait oublié sa fille, cinq ans (le nom n'est pas donné), qui l'attendait sagement au comptoir, près de la patronne.

Je me souviens d'avoir perdu dans des cafés : un parapluie (pliant) Longchamp de couleur bleue ; un paquet de tabac Caporal entamé ; un étui contenant des lunettes de soleil (avec verres correcteurs, inutilisables par quelqu'un d'autre) ; un carnet de moleskine noir déjà bien rempli (tout aussi inutilisable, qui ne m'a pas été restitué, il m'arrive encore d'y penser, dois-je vraiment le regretter ? Quel usage pourrait-on en faire ? J'espère qu'il a *vraiment* disparu) ; un stylo à bille (encre noire) Faber-Castell à capuchon blanc ; un roller Waterman bleu (encre bleue) ; un bonnet marin Saint James ; un briquet jetable ; une boîte de tampons en mousse Quies multicolores de forme conique ; un plan de Paris, éditions L'Indispensable, « modèle utilisé par la police nationale » ; etc. (Je pourrais poursuivre l'inventaire, comme on fait les poches à un détenu, ou à un cadavre – et faire mon autoportrait aux objets perdus, quelques-uns de mes accessoires habituels. Que disent-ils de moi ?)

J'y ai trouvé aussi (sur la banquette, dans le renfoncement du dossier, sous la table, et, ce qui est plus surprenant, parfois sur la table elle-même) : une médaille en or, ou plaqué or, avec sa chaîne, gravée à des initiales que j'ai oubliées ; un porte-monnaie en cuir râpé contenant quelques euros et des tickets de métro ; un carnet de timbres neuf ; une carte postale adressée à Myriam Z. représentant la basilique Saint-Marc à Venise ; un briquet Zippo, modèle classique, en bon état ; un peigne en plastique dans son étui ; un tube de rouge à lèvres de marque Bourjois ; etc.

(J'ai souvent pensé à Myriam Z. Quel âge avait-elle ? Que venait-elle faire dans ce café ? Y était-elle seule ? Était-elle allée, elle aussi, à Venise ? Pourquoi ne s'y trouvait-elle pas avec « Xavier », qui avait signé la carte ? Personne n'est venu la demander au comptoir du café où je l'avais laissée.)

Jérôme, au café Augustin, me dit avoir récupéré un jour un Kiki en peluche. Il arrive donc qu'on y oublie sa progéniture à tout âge.

Miroirs

Temps maussade. Je pousse la porte par habitude, je viens ici pour échapper à l'ennui, à la fadeur des après-midi. Ouvrir une parenthèse. Faire une petite pause existentielle – prélude à une méditation métaphysique. Le café est un laboratoire, le lieu du vide – où tout peut commencer. Table rase de la pensée.

Avec, pour accessoires, ces grands miroirs, partout, ornés d'écritures désuètes en pleins et déliés, qui ouvrent un autre espace, labyrinthique, plein de doubles fonds, celui d'un palais des glaces et des mirages dans lequel je me perds et me démultiplie. Ils m'entourent, me piègent, me réfléchissent, à la dérobée, me mettent face à moi-même. Ou de profil. Je me surprends tout à coup, dans un coin, caché au fond de ce décor en trompe-l'œil, j'hésite à me reconnaître. Est-ce bien moi ? Qu'est-ce que je fais ici ? Qui suis-je ?

Un ange passe

C'est l'heure creuse. La serveuse remonte l'allée centrale dans toute sa longueur pour venir jusqu'à moi prendre ma commande. Elle est en noir et blanc, plus toute jeune, lasse. Elle boite, traîne sa jambe raide, se déplace au ralenti, à chaque pas son pied frotte le carrelage.

La grande salle du Général La Fayette est déserte, je suis le seul client. Derrière le comptoir, le gérant est immobile, assis sur un tabouret, le regard fixe, les bras croisés. Il a abandonné la lecture du journal posé devant lui, absent. La serveuse a regagné sa place à côté de la caisse, elle reste debout, accoudée au bar. On dirait une sentinelle figée dans un décor qui attend. Pour rien. Les clients. Le public. La vie semble arrêtée. J'ai toute la salle pour moi.

Dehors le ciel est sombre, des gens passent que je n'entends pas, de simples silhouettes derrière les vitres, le bruit de fond de la ville est étouffé. Seules existent les chaises bien rangées devant les tables vernies soigneusement astiquées, les grands miroirs sur les murs qui agrandissent encore l'espace, les vieilles publicités hors d'âge. *Guinness for strength. Chocolat Lorrain. Bière de Mars.* Barres de cuivre étincelantes. Boiseries luisantes. Lumières froides. Faux jour. Le gérant et la serveuse ne prêtent pas attention à moi. Peut-être m'ont-ils oublié. Je ne bouge pas pour ne pas

déranger ce fragile équilibre. J'ai l'impression peu
à peu de me fondre dans ce décor, de disparaître.

Bref moment, sauvé du quotidien, où je peux,
simplement, dans le silence de cette grande salle
vide, sentir passer le temps.

Combien de minutes se sont écoulées avant
que ne surgisse en coup de vent un livreur, qui
pose trois cartons sur le comptoir, bientôt suivi
de tout un groupe d'hommes et de femmes
bavards qui s'installent au milieu de la salle ?
Rires, rumeur des conversations. La serveuse
s'est remise en mouvement, lentement, à petits
pas déhanchés, en traînant sa jambe raide. Elle
s'appelle Jeannette.

Mélancolies

Chantal Thomas, dont les souvenirs sont
attachés à tous ces « cafés de la mémoire » où
elle a passé sa vie, parle du « vertige du temps
pour rien » qui nous gagne peu à peu, à la
longue, à leur fréquentation, et de « l'amère
délectation » que l'on y éprouve.

Photos de Verlaine, de Reverdy, devant leur verre d'absinthe, qui nous regardent.

Mário de Sá-Carneiro écrivait dans les cafés de son exil à Paris, où il est venu se suicider. Au Café Riche, à la Brasserie Universelle, au Cardinal.

> *Cafés de ma paresse,*
> *Vous êtes aujourd'hui – quel exploit! –*
> *Tout mon terrain d'action*
> *Et toute mon ambition.*

Au mur du British Bar, à Lisbonne, les aiguilles de la pendule tournent à reculons. « Elle marche juste », dit la serveuse à Bruno Ganz, déserteur de la vie, dans le film d'Alain Tanner *Dans la ville blanche*, « c'est le monde qui marche à l'envers ». La pendule est toujours là, au-dessus de la porte...

Rue de Seine, un café s'appelait Au Temps perdu.

Toute cette vie qui part en fumée, en petits verres, en cafés...

Ça vous a un petit air de comptine. Eau vive et olives. Pirouettes et cacahuètes. Des mots pour rire, qui ne veulent rien dire, qu'on a sur le bout des lèvres, en ritournelle, et vous entêtent. Ils chantent sur toutes les voyelles de l'alphabet. Apportent un goût de soleil en soucoupe dans la grisaille des fonds de salle.

Olives et cacahuètes...

Elles donnent l'heure de l'apéritif. Fondantes, craquantes, vous crachez un noyau, vous croquez un grain de sel, quand vous avez commencé à les picorer, vous ne pouvez plus vous arrêter. Elles vous donnent soif, grattent et piquent un peu la gorge, c'est une façon aimable de vous faire prolonger la conversation, sur des riens, toujours légers et joyeux, et renouveler votre verre. On s'offre une tournée, puis une autre. Rien ne presse, on vous attendra. Eau vive et olives. Pirouettes et cacahuètes. Entre amis.

La table du fond

La salle est plein de monde. J'attends. Assis, sur la banquette, dans un coin. Je suis venu ici parce que je n'ai rien à faire. Pour ne rien y faire. Que regarder, distraitement, écouter, à peine. Rêver. M'absenter. Simplement : être là.

Avec tous ces gens aux tables voisines, qui m'entourent, sans me voir. Ils sont seuls. Face à face ou côte à côte. Par petits groupes. Ils parlent, lisent, ou rêvent, comme moi. Entrent, ou sortent. Les serveurs circulent d'une table à l'autre dans le brouhaha des conversations. La salle est le lieu fourre-tout de la vie, dans ce qu'elle a de plus fugitif, qui se donne à voir et à entendre par bribes, dans le désordre, en instantanés.

Je me laisse prendre peu à peu par cette chaleur humaine et ce bruit de fond comme par une basse continue. Tintements des cuillères, verres qui s'entrechoquent, battements de la porte, sifflements de la machine à café, commandes lancées à la cantonade, éclats diffus des voix qui se coupent, s'entremêlent, se brouillent. Variations des timbres et des intensités. Tournoiements des êtres et des lumières. Je saisis un mot au passage, une parole en l'air. Un geste. Je croise un regard à la dérobée. Mon désir se réveille à un visage, un rire, un corps. Et si c'était ici que *cela* allait arriver? Je guette l'imprévu, avant qu'il ne soit trop tard. Toutes ces occasions manquées. Je suis patient, au-delà du vraisemblable. Je me rattrape en arrière-pensées. Combien d'histoires sont en train de se vivre, près de moi, à mots couverts?

Je me laisse lentement déporter dans une demi-conscience. Je retouche ma vie, j'invente celle des autres. J'éprouve une sensation d'euphorie. Un sentiment d'empathie pour ces hommes, ces femmes, qui se croisent, se mêlent, me frôlent, ou s'ignorent, qui vont s'effacer, et dont je ne saurai rien. Si loin, si proches. Qui sont-ils? À quoi pensent-ils? Chacun,

entraperçu, y garde sa part de mystère et d'ina-
chevé. Qu'avons-nous en commun? Rien
d'autre que d'être ensemble, ici et maintenant.

Je voudrais prolonger cet instant, tout
emporter avec moi, en conserver la trace. Je
ne suis qu'une caisse enregistreuse, un gref-
fier de l'éphémère. Le café est le bric-à-brac de
mon imaginaire. Tous ces figurants, ceux d'un
théâtre mental. Je viens y faire mes provisions.
J'emprunte, à droite et à gauche. Il me suffit
d'être là, assis, en retrait, sur la banquette, à la
table du fond.

La vie des autres

Trois femmes, à trois tables différentes,
seules. Elles ont chacune un grain de beauté sur
le visage : l'une, au coin de l'œil, l'autre, au bord
de la lèvre, la dernière, sur la joue. Peut-être un
autre, encore, ailleurs, plus secret ?

La petite trentaine, en tailleur strict. Quand
elle a voulu régler sa consommation, le serveur lui a dit que c'était déjà fait, par l'homme,
là-bas, qui lui fait un signe de la tête en souriant.

Elle a quand même tenu à payer, gardez tout, et est partie sans lui adresser un mot ni un regard. Est-ce qu'elle le connaissait ?

Un couple, jeune. Lui de dos. Elle de face. C'est lui qui parle. J'essaie de suivre ce qu'il dit sur le visage de la fille. Comme dans un miroir. Intensité de son regard. Elle ne peut que l'aimer – à perte, me dis-je, un peu jaloux.

Trois filles. Elles se racontent leurs copains au lit, très crûment, avec des détails, et à haute voix. Elles sont d'accord, ils manquent de résistance. L'une croise mon regard, éclate de rire. « Bon, parlons d'autre chose... »

Ils ont tous les deux la soixantaine. Elle, acariâtre. Lui, muet, visage fermé, impassible. Récriminations. Ça dure. Il finit par se lever, toujours sans un mot, enfile son imperméable, tranquillement, sans la regarder, s'éloigne. Elle, très fort, toutes les têtes se retournent : « Reviens ! Reste ici ! Tu te donnes en spectacle ! »

Sur la table du fond, en retrait, comme dans une alcôve, à l'abri des regards, celle que choisit habituellement le couple d'amoureux, le garçon, prévenant, a posé un petit écriteau : « Réservé ».

Casquette sur la tête, veste à gros carreaux, verre de rouge sur la table. Il déplie une dizaine de billets froissés devant lui, les étale soigneusement du revers de la main. Au serveur : « Vous pouvez me les changer contre des billets neufs ? »

Le garçon me voit lire un roman policier. Il préfère Platon ou Sophocle, qu'il relit sans cesse, me dit-il.

Lui : « Quel est l'âge idéal pour mourir ? » Elle : « Je vais te le dire. C'est soixante-quinze ans. » « Ah ! oui ! c'est vrai, soixante-quinze ans, c'est bien, tu as raison. » Du Beckett, peut-être.

En terrasse. Il passe de table en table avec, à la main, un grand sac de plastique bourré de chiffons. « Vous ne voulez pas que je prenne un petit verre de rosé avec vous ? »

Un professeur devant un paquet de copies. Air découragé.

Des pieds nus sous une table. Ongles vernis, rouges. Et pas de chaussures en vue.

Une grande blonde, tout en blanc. Elle vient d'entrer, essoufflée, les bras chargés de paquets, hésite, s'assied à la première table, près de la porte. Se relève presque aussitôt, s'installe à une autre. Regarde autour d'elle, se lève à nouveau, va de l'autre côté, sur la banquette, pose ses paquets. Ça y est, cette fois, c'est la bonne.

Deux apprentis comédiens, un garçon, une fille, qui font des italiennes, recto tono. « Mon cher cousin, est-ce que vous ne plaignez pas le sort des femmes? Voyez un peu ce qui m'arrive. » Je reconnais du Musset.

À son amie, son bâton de rouge à lèvres à la main : « Vrai! Tu m'amènes un cadavre et je le maquille tellement bien qu'il ressuscite! »

À quatre pattes, la serveuse astique les pieds des tables.

Une femme âgée. Seule. Cheveux gris, tirés. Lunettes. Elle a fermé les yeux, mais reste bien droite, sans s'appuyer au dossier. Ses mains, au-dessus de la table, jointes. Ses lèvres, un peu blanches, entrouvertes, balbutient en silence. Elle est en train de prier.

Vous ne saviez pas? Le serveur piquait dans la caisse. On ne le verra plus.

La petite bande

Ils forment un groupe de cinq ou six, des garçons et des filles de seize ans, viennent du lycée Racine, juste derrière, à la sortie de leurs cours, s'installent à la terrasse de L'Abordage, près du square. Ils rapprochent trois tables, commandent des cafés, ou un Coca pour deux, c'est le moins cher, qu'ils paient en petite monnaie, en raclant le fond de leurs poches, et tant pis pour le pourboire du serveur qu'ils tutoient et appellent par son prénom. Il n'est pas beaucoup plus âgé qu'eux, répond à leurs plaisanteries, s'attarde à leurs tables, avec un peu de jalousie, peut-être, pour ce qu'il croit être de l'insouciance.

L'Abordage est leur espace de liberté, d'amitié,

et plus encore. Entre l'école, dont ils s'évadent, et la famille, qu'il faudra bien retrouver, après, le plus tard possible. Ils ont ici tous les droits, aiment se faire servir, comme n'importe quel client, c'est bien leur tour. Ils recopient un devoir sur le coin de la table, fument en se forçant un peu (ils ont appris à rouler les cigarettes parce que ça aussi c'est moins cher, ou en demandent aux autres consommateurs, c'est bien normal, ce sont les filles qui s'en chargent, elles font le tour des tables, on ne peut pas le leur refuser), s'embrassent avec ferveur et application. Ils discutent bruyamment, d'un film, d'une série, d'une musique, d'un dernier vêtement acheté en solde, ça te va si bien, éclatent brusquement de rire, se racontent leurs petites tragédies, traînent sans fin devant leurs verres vides et leurs tasses froides avant de se séparer, à regret, jusqu'à demain.

Au Rubis, comme d'habitude

Saint-julien. Bourgueil. Pouilly-fuissé.
Nous commençons par discuter devant la liste des vins, qui s'efface sur les ardoises et sur

les miroirs. Le patron nous en fait déguster deux ou trois, ses nouveaux arrivages, dans des fonds de verre – un peu jeune, un peu lourd, sans intérêt, pas dans nos prix – et nous finissons toujours par en revenir à une bouteille de Château Canterane, un saint-émilion. C'est notre petite fête d'amitié mensuelle, le soir.

Chablis, chénas. Cheverny.

Nous parlons de tout – avec des disputes, jusqu'au bord de la brouille, entre provocations et silences. De littérature, surtout, et des passions que nous partageons pour quelques auteurs, sans restriction. C'est notre origine, irréductible. De nos projets, de nos travaux en cours, partagés, confrontés, de nos rêves, encore, qui ont survécu à l'âge, de nos joies et de nos défaites. Nous nous connaissons par cœur, confidents de quelques-uns de nos secrets. Nous serions un peu moins nous-mêmes sans l'autre.

Juliénas. Fleurie. Quincy.

La salle est petite, elle doit bien nous ressembler quelque part, étroite, tout en longueur, avec ses murs jaunes défraîchis, couverts d'écritures. Les tables sont peu nombreuses, la banquette un peu défoncée, quelques tonneaux sont disposés sur le trottoir pour prendre patience, debout, le verre à la main. En fin de soirée, le patron lit le journal ou parle avec un habitué au bout du comptoir. Il commence par éteindre les lumières sur la façade, enlève la poignée extérieure, ferme la porte, nous laisse, comme un privilège, à la table du fond, prolonger notre conversation et notre verre au-delà de son heure.

Saint-estèphe. Corton. Brouilly.

C'est ici que notre histoire d'amitié s'est écrite, se retrouve – depuis combien d'années? –, et après que le patron a cédé la place et que nous avons été les derniers, ce soir-là, à fêter copieusement avec lui son départ – mais avec un peu de vague à l'âme en quittant les lieux qui allaient sans doute disparaître –, nous avons cherché d'autres établissements, sans conviction – ici et là, mais non, ce n'était pas ça –, nous cherchons encore.

Riesling. Sancerre. Chinon.

Il faudrait que rien ne bouge.

« Ils ne savent pas faire le thé, ni de vrais chocolats. On est serrés, toujours pressés. Et il n'y a pas de bonnes pâtisseries. »

J'ai souvent entendu ses critiques.

Elle préfère les salons de thé, avec de vraies nappes, de vraies serviettes, de la porcelaine fine, une pince pour le sucre, en cristaux, blanc et roux, des fauteuils confortables, joliment tapissés – et, conciliant, sans préjugés, je me laisse faire, de temps en temps. Angelina. Ladurée. Smith. « C'est plus *cosy*. » Elle y vient souvent seule, ou avec une amie, à l'heure du thé, pour des après-midi sans fin. « Et plus tranquille, tu ne trouves pas ? »

Ici, chez Carette, c'est un peu chez elle, comme si elle m'y recevait. Un petit bouquet sur la table. Les gâteaux dans la vitrine. Des femmes, surtout, de tous les âges, et des serveuses, strictes. Une ou deux têtes connues, que je ne connais pas, dont elle me donne le nom, qui ne me dit rien. « Mais si, tu sais bien... » Les parfums se mêlent. Style de l'ornementation Art déco. Je suis capable d'apprécier. On y évite la musique, la télévision, les courants d'air, la mauvaise compagnie. Ce n'est pas le genre de la maison.

Que va-t-elle choisir? Un thé de Chine? À la rose? Ou aux fruits rouges? Celui de la maison? Elle hésite, se décide – aujourd'hui ce sera un thé glacé. Et pour Monsieur? Instinctivement, je me redresse dans mon fauteuil. La carte est longue. Elle m'explique, me conseille. Non, pas de thé, merci, je n'irai pas jusque-là, je n'ai jamais pu m'y faire. « Encore un allongé? Ce serait dommage, prends au moins un *vrai* café. » C'est un pur arabica de Colombie servi dans un pot bien astiqué, qui remplit deux tasses et demie. J'ajoute un mille-feuille, modèle classique, avec sucre glace, on n'en trouve plus ailleurs, elle des canapés au concombre, la spécialité, « comme la reine d'Angleterre, à cinq heures ».

Les conversations sont feutrées sous les abat-jour crème, les amoureux restent sages, face à face, à peine s'autorisent-ils de discrets jeux de mains. On règle à la caisse. En emportant un dernier macaron dans une jolie pochette.

« C'est moi qui t'invite. La prochaine fois, nous irons au Ritz. En souvenir de Proust. »

Elle connaît les arguments capables de me convaincre.

Il lui arrive pourtant aussi de m'accompagner dans un café, même avec des tables en formica. Pour un Coca, un verre de vin. Ou pour goûter un peu de bière – dans mon verre. En souvenir du Métro, ou du Vavin, où nous nous embrassions, frénétiquement.

Un demi, frites

Il s'installe toujours à la même place, dans l'angle, le dos tourné à la baie vitrée. Il garde son manteau sur lui, le col relevé. Accroche son chapeau au montant du dossier de la chaise vide qui lui fait face, de l'autre côté de la table. C'est sa compagnie.

Il n'a pas besoin de commander. La serveuse pose le set en papier, et lui apporte un demi et une assiette de frites. C'est son dîner, à sept heures.

Il se penche sur son assiette, pique ses frites une à une avec sa fourchette. Bien dorées, un peu sèches, juste comme il les aime, le chef les fait spécialement pour lui. Il ne relève la tête que pour boire une gorgée de bière. Son grand plaisir de la journée.

Il est maigre, des poils blancs, sous le menton, ont échappé au rasoir, ses cheveux, rares, sont tirés en arrière, tenus par un fond de brillantine. Des appareils dans les oreilles dont il règle le niveau sonore de temps en temps. Toujours seul. À quoi pense-t-il ? Pense-t-il encore, tout entier absorbé par son assiette de frites et son demi ?

Il porte une alliance et une chevalière. Un foulard de soie marron autour du cou. Ses chaussures sont bien cirées. Il fait un effort pour ne pas se négliger. Une ancienne habitude. Un reste de vieille élégance. Ici, il a encore l'impression de participer à la vie commune. Même si personne ne lui adresse la parole, ne le regarde. Il est invisible.

Sauf pour la serveuse. Ils se connaissent bien, se sont habitués l'un à l'autre. Elle prend soin de lui, vient le voir, lui demande si ça va, s'il a tout ce qu'il lui faut, s'il veut un autre demi. Ou quelques frites encore. Il fait un geste de la main pour dire non merci, ça lui ferait du mal, ça suffit, tout va bien.

Quand il a fini, elle débarrasse l'assiette, les couverts, le set, mais laisse le verre, vide, avec son dépôt d'écume. Rien ne presse. Prenez votre temps. Il reste là, immobile, les yeux mi-clos, les mains croisées. Dans le bruit et les lumières. Ici, maintenant, il est heureux.

« Rendez-vous au Rêve »

Est-ce à son enseigne qu'il doit son attrait? Ses deux salles, minuscules (c'est la bonne dimension pour rêver), donnent sur la place Constantin-Pecqueur, en haut de la rue Cau-laincourt. Il est peuplé de fantômes qui se tiennent serrés autour des tables ou debout au comptoir. Ceux de Damia, Cendrars, Jean Marais, Mary Marquet, Jacques Brel et Suzanne Gabriello (on raconte que c'est ici qu'il a écrit pour elle *Ne me quitte pas* – mais c'est lui qui l'a quittée). Simenon – quand il s'appelait encore Georges Sim – prétend, lui, avoir écrit à sa terrasse, en une seule matinée, son *Roman d'une dactylo*. Marcel Aymé y a fait arrêter par la police Garou-Garou, son passe-muraille. Céline y envoie se réfugier Ferdinand dans *Féerie pour une autre fois* pendant le bombardement de la Butte par l'aviation alliée (il l'appelle « le bar à Marcel »). Claire Bretécher y a dessiné Elyette, la patronne, dans *Agrippine*. Et Modiano, dans *Une jeunesse*, y a fait venir Odile et Louis pour le simple plaisir de les entendre se dire : « Rendez-vous à cinq heures, au Rêve. »

« Si les cafés sont un support au rêve, dit Guy Gilles en voix off du film qu'il leur a consacré, Paris est la ville du monde où l'on rêve le plus. »

Maigret, Modiano

Maigret a ses habitudes à la Brasserie Dauphine (dans la réalité le café s'appelait Aux Trois Marches), place Dauphine, à côté de la Préfecture, ou Chez Manière, rue Caulaincourt (devenu aujourd'hui Le Cépage Montmartrois). Il y retrouve sa femme (« Il y a au moins quinze ans que nous y sommes venus pour la dernière fois, un soir, après le théâtre... Tu t'en souviens ? ») ou son collègue Torrence (« Un demi ? proposa l'inspecteur. Et Maigret se laissa tenter. C'était le deuxième »). Mais ce sont ses enquêtes qui le conduisent à s'installer longuement aux tables des bistrots. Il établit sa surveillance pendant douze heures de suite au Tabac Fontaine, dans la rue du même nom, à Pigalle, devant des demis et des sandwichs au jambon (« Il semblait faire partie du mobilier. Mieux, il faisait partie du mur. Seul son regard vivait et allait lentement de l'un à l'autre des joueurs »). C'est au Café des Sports, à l'angle de la place de la République et du boulevard Voltaire, qu'il découvre la solution de l'énigme en cours : « Ainsi Picpus n'existait pas. Ce n'était qu'un slogan publicitaire », celui qu'il voit affiché sur un calendrier-réclame pour une société de déménagement et que s'était choisi comme nom d'emprunt le criminel. Chez l'ancien bougnat du 4 impasse Guéménée, on peut encore lire : « À cette table mangeait le commissaire Maigret. »

C'est sur une banquette du Sans Souci, rue Pigalle, que le narrateur d'*Accident nocturne* de Modiano a rencontré l'étrange docteur Bouvière. C'est également à la première page de *Chien de printemps* qu'il fait la connaissance, avec une amie, du photographe Francis Jansen dans un café de la place Denfert-Rochereau

(« Je me suis à peine rendu compte qu'il avait fixé sur nous son objectif »). Dans *Du plus loin de l'oubli*, il reste à « attendre, de longs après-midi, pour rien, au café Dante », Jacqueline. Un soir, avenue de Messine, un homme est mort, d'un coup, à côté de lui, silencieusement, seul, à la terrasse d'un café dont il a oublié le nom. Aux Hortensias, place Pereire, après avoir défi-nitivement fermé son agence de détective privé, Hutte prend avec lui un verre d'adieu (« Hutte aimait ce café, parce que les chaises y étaient cannelées, "comme avant" »). Au Corona, en face de la colonnade du Louvre, à l'angle du quai, là où autrefois il retrouvait déjà son père, un certain M. Guélin lui fait des révélations sur le passé trouble de Gisèle. Louki, en fuite, vient se réfugier chaque soir au Condé, « le café de la jeunesse perdue » (« Des deux entrées du café, elle empruntait toujours la plus étroite, celle qu'on appelait la porte de l'ombre »). Combien d'autres ? La Rotonde de la porte d'Orléans, le San Cristobal à Montmartre, « Chez Mala-fosse », le Café des Beaux Arts, sur les quais (« Va chercher des partagas chez Malafosse », lui disait son père), le Ruc Univers du Louvre, Le Tournon, La Closerie de Passy... La plupart sont anonymes. Ils reviennent souvent d'un roman à l'autre.

Lieu d'enquête, de surveillance, de vigilance, d'observation attentive pour l'un ; repère, refuge, lieu de nulle part, ou de rencontres de hasard pour l'autre, qui cherche à s'y oublier, à disparaître. On y est plus âgé, ou plus jeune. Connu ou *incognito*. On y boit de la bière, ou des menthes à l'eau.

Simenon et Modiano qui cartographient chacun à sa manière les cafés de Paris et leurs usages ont également tous les deux fréquenté, à quelques années de distance, dans leur jeunesse, le Rêve de la rue Caulaincourt. Ils s'en souviennent, l'un et l'autre, comme autant de moments de bonheur.

Perte d'incognito

Starbucks Coffee. Salle des pas perdus de la gare Saint-Lazare, côté grandes lignes. Ils appellent cela « un salon de café ». Canapés, fauteuils profonds, tables basses, et musique d'ambiance, évidemment.

Je suis la file le long du comptoir. « Sandrine », comme je le vois sur son badge, prend ma commande.

« Un prénom, s'il vous plaît ? »

J'ai un instant d'hésitation. Va-t-elle me demander mes papiers ? C'est une habitude de la maison, paraît-il. Ici, les présentations se font dans les deux sens. Je te dis comment je m'appelle, tu me dis qui tu es. Faire part de mes réticences aggraverait mon cas. Est-ce que j'ai quelque chose à cacher ? Elle relève la tête, s'impatiente. On se presse derrière moi. Il est trop tard pour faire demi-tour, et je vois bien que je n'aurai pas mon café sans cela. J'esquisse un sourire gêné. Pourquoi ai-je tant de mal à dire mon nom ? Je pourrais me défausser. M'appeler « Personne », ou « Fantômas », moi aussi. Je dois renoncer à mon privilège d'*incognito*.

Elle écrit « Didier » sur un gobelet de carton, au gros feutre, d'une jolie écriture, appliquée, pleine de boucles (ce qu'on appelle, je crois, l'écriture ronde anglaise). Peut-être a-t-elle été embauchée pour son talent de calligraphe. « Sandrine » est d'un blond vénitien, elle a de jolis yeux gris-vert, quelques taches de rousseur sur les joues, mais nos confidences en restent là.

Notre récente intimité ne me dispense pas de payer.

Nouvelle queue. J'attends qu'une autre serveuse, c'est « Gabrielle » maintenant, m'appelle, un peu trop fort, pour récupérer le café qu'elle a préparé. « Didier-un-café-allongé. »

Autour de moi, les autres ont choisi des grands modèles compliqués. Pumpkin Spice Latte. Caramelised Pecan Latte. Avec muffins, cookies et donuts. Ils paraissent indifférents à l'interrogatoire qu'ils viennent de subir. Chacun circule à la recherche d'un siège, en portant son nom sur son gobelet comme un trophée. « Hélène », « Olivier », « Julia », « Manon », « Evelyne », « Nicolas », « Xavier »... À quel jeu joue-t-on? On se croirait retournés au jardin d'enfants.

Mais non, ce n'est pas si grave, et le jeu s'arrête là. On n'est pas obligés de se tutoyer, ni de faire connaissance, pas même de s'adresser la parole. Malgré ces présentations, chacun s'ignore, reste dans son coin. Je m'enfonce dans un gros fauteuil, avec vue en surplomb sur la rue d'Amsterdam. Le café est même bon.

« Isabelle » passe pour débarrasser la table. « Vous avez terminé? » Je me permets un « Oui, merci... Isabelle. » Elle fronce un peu les sourcils, et ramasse mon gobelet vide, sans même jeter un coup d'œil sur mon nom qu'elle écrase soigneusement avant de le faire disparaître dans un grand sac en plastique.

À l'improviste

Sartre et Beauvoir ont beaucoup écrit, et de gros livres, au Dôme, au Select, au Flore, surtout, pendant la guerre, dans la salle du premier étage (près du poêle, en hiver). Georges Haldas passait cinq heures chaque jour Chez Saïd à rédiger de sa minuscule écriture, la tête collée sur ses cahiers derrière ses grosses lunettes rondes, tous les volumes de ses chroniques, essais, ou poèmes. Nathalie Sarraute s'installait chaque matin au Marceau, en bas de chez elle. « Je travaille toujours dans un café, expliquait-elle. J'ai besoin de sortir de chez moi. Là, je suis complètement isolée. Je n'ai rien pour me distraire. Le bruit du café et la présence de gens qui me sont étrangers me créent la possibilité de me concentrer qui est beaucoup plus grande que seule chez moi. » Bernanos disait : « J'écris sur les tables des cafés parce que je ne saurais me passer longtemps du visage et de la voix humaine. »

Si je veux voir Pierre P., je sais que je le trouverai dans l'après-midi, au Wepler, penché sur ses grandes feuilles qu'il utilise toujours dans le sens horizontal. Il s'approprie la table ronde, dans l'angle, sur la gauche, qu'il couvre de ses affaires comme s'il était chez lui. C'est là qu'il a écrit tous ses livres.

Comment font-ils pour s'absenter ainsi sans perdre le fil ?

(Contrairement à l'idée reçue, les « écrivains au café » ne sont pas si nombreux. Peter Altenberg, encore, pour ses *Esquisses*, au Café Central. Ou Aragon, pour des poèmes automatiques, notés à la hâte sur « le noir et or usagé des sous-mains », à La Source, au Rocher, au Cluny, à l'Excelsior – réclamant sans cesse du papier de rechange en un refrain : « *Garçon de quoi écrire* ». Quelques autres, peut-être, mais ce sont presque toujours des poètes qui, de toute façon, n'ont pas besoin de table, ni de stylo, ni de papier – ils peuvent écrire n'importe où, aussi bien dans la rue, en marchant, par cœur, de mémoire, dans leur tête.)

Assis à ma table, je suis incapable d'oublier où je suis. Ce ne sont que des mots volés, tracés au plus vite par crainte de les perdre, deux lignes, quelques phrases qui vont rarement jusqu'au bas de la page de mon carnet. Des titres. Des amorces. Des ébauches. Le genre brouillons. Je consigne le temps qui passe dans des procès-verbaux de presque riens. Avec beaucoup d'*etc.* et de points de suspension. Tout sera à écrire, plus tard, ou ira au rebut.

C'est ici, peut-être parce que c'est le lieu de l'attention flottante, que, sans effort, je suis au plus près de moi. Je viens y prendre les idées comme elles passent. À l'improviste.

Sur scène, Café Müller

Silence. Demi-obscurité. Lumière grise.
Des guéridons et des chaises de bistrot en désordre, peintes en noir, occupent tout le plateau. Murs sans couleur. Porte vitrée à cour et à jardin. Porte tambour vitrée au fond, dans un renfoncement. Une danseuse entre en longue chemise blanche, évolue à tâtons, les yeux fermés. Puis une autre. Elles heurtent chaises et tables qui se renversent. Le décor se défait progressivement pour devenir un vaste chaos. Musique de Purcell. La voix de la Fairy Queen s'élève dans un soupir. « O let me weep... »

(Pina Bausch raconte que toutes ses créations chorégraphiques trouvent leur origine dans ses souvenirs d'enfance quand, cachée sous les tables du café que tenaient ses parents, elle écoutait les conversations, les peurs et les colères des clients pendant les bombardements alliés sur la ville. « Ces souvenirs d'enfance sont vagues, je les ai oubliés. Ils reviennent pourtant dans mon travail. Je passe ma vie à essayer de donner une forme à ces émotions enfouies, évanouies. »)

Pina, au Théâtre de la Ville, en 1981. Elle était là, à chaque représentation, assise toujours à la même place, côté pair, au cinquième rang. À la fin du spectacle, elle gagnait la coulisse, arrivait sur la scène, tout en noir dans son tailleur-pantalon Yamamoto, cheveux tirés en arrière. La salle scandait son nom. Je me souviens de sa queue de cheval qui se balançait sur le côté à chacun de ses saluts.

Gilberte et Veronika, aux Deux Magots

« Allons prendre un café.
— Je n'ai pas d'argent.
— Je t'invite. »
Dans *La Maman et la Putain* de Jean

Eustache, Alexandre passe la plupart de son temps entre le lit de Marie – un matelas par terre – et les cafés. Ceux de Saint-Germain-des-Prés et du Quartier latin. Le Rostand, le Flore, Les Deux Magots, Le Saint-Claude, le Mahieu. En salle ou en terrasse.

« *Tu veux boire un verre ?*

— *Oui, oui.* »

Ce sont des carrefours, ça circule un peu dans tous les sens, on s'y croise, les portes restent toujours ouvertes, à l'arrière-plan.

Celui qu'il préfère, c'est les Deux Magots. Il y passe des journées, et des soirées, seul ou avec un ami. À lire le journal (*Le Monde*), un livre (Proust, tome V, *La Prisonnière*), à boire des whiskies (du J & B), à fumer (des gauloises – un cendrier Dubonnet sur la table), ou à regarder les filles.

C'est là que Gilberte le quitte. Elle lui annonce qu'elle va se marier. Il souffre.

« *J'avais oublié ton visage, il a suffi que tu partes pour que je te retrouve, intacte, comme au premier jour.* » Scène de séparation. À répétition.

« *Tu sais bien que ce n'est pas si simple.* »

Il est amer, ou lucide.

« *Tu vas vivre avec un homme que tu n'aimes pas parce qu'il est trop difficile de vivre avec l'homme que tu aimes.* »

On est après 68, c'est fini.

« *Mon amour. Tu te souviens. On disait qu'on l'avait échappé belle. Qu'on avait eu la chance d'avoir eu une enfance et qu'on n'était pas sûrs que nos enfants en auraient une dans ce monde où les vieillards ont dix-sept ans.* »

C'est là aussi qu'il fait la connaissance de Veronika. Scène de rencontre. Elle est assise en terrasse, croise son regard, le temps de se retourner, la chaise est vide. Quand il la retrouve, en salle, elle est de dos.

« *J'ai rendez-vous avec quelqu'un que je ne connais pas et ça pourrait être vous.* »

Ils font connaissance.

« *Vous êtes seule?*

— *Pour l'instant je n'ai personne. Et vous?*

— *Oh, moi!... On pourra parler de ça une autre fois.* »

Ils se revoient. C'est un bavard.

« *Quand on est bien avec quelqu'un, on peut rester dans un café. Parler ou se taire.*

— *Il faudrait se taire, se regarder en silence,*

ou bien parler beaucoup parce que ça revient au même. »

Conversations filmées en longs plans fixes sur l'un, sur l'autre, face caméra, les yeux dans les yeux, et dans les nôtres. (La Nouvelle Vague aime parler dans les cafés. Toutes ces discussions à deux, à plusieurs, assis autour d'une table, chez Rivette, Truffaut, Rohmer, Chabrol, Malle, Rozier. Dans *Vivre sa vie* de Jean-Luc Godard, le philosophe Brice Parain, dans son propre rôle, dit à Anna Karina : « On ne peut pas vivre sans parler. » Où la scène a-t-elle été tournée ? Place du Châtelet. Au Zimmer, je crois.)

Café du temps qui passe. Du temps perdu. Que reste-t-il à Alexandre ? Les filles, le cinéma (les films de Murnau, de Bresson et de Nicholas Ray), le whisky, les chansons de Damia, de Zarah Leander et d'Édith Piaf, les quais de la Seine, avec ses éclats de lumière, la nuit. Paris et ses cafés.

« *Vous savez comme les gens sont beaux la nuit.* »

Gilberte est brune, les cheveux tirés en arrière. Elle donne des cours à la Sorbonne.

Veronika est blonde, coiffée en bandeaux. Elle est infirmière à l'hôpital Laennec. Café des rencontres et des séparations. Une histoire se termine là où l'autre commence.

On voit dans le lointain, à travers la baie vitrée du café, un jeune homme, attiré par la présence de la caméra, qui tourne la tête. C'est un simple passant, un figurant involontaire, saisi à l'improviste. Il a les cheveux longs, porte une barbe, mal taillée, sa veste jetée sur l'épaule, une fille est à ses côtés. Nos regards se croisent. Nous nous ressemblons. J'avais dix-neuf ans, moi aussi, en 1972, sur ce trottoir.

Le lieu du crime

« Une scène tragique s'est déroulée hier soir, vers neuf heures et demie, dans le café tenu par M. Guilleminot situé au 128 *bis*, boulevard de Clichy et qui a produit dans le quartier une certaine émotion.

Mlle Laure Florentin, une jeune femme de vingt et un ans très sémillante qui exerce la profession de modèle, se trouvait en compagnie de

M. Charles Casagemas et de plusieurs autres artistes peintres de nationalité espagnole, lorsque son ami, trouvant qu'elle était trop familière avec un des jeunes gens, lui fit une scène terrible.

Mlle Florentin se leva, en déclarant qu'elle en avait assez de ses injustes soupçons et se dirigea vers la porte. L'Espagnol bondit vers elle et voulut la saisir par le bras. Mais elle se dégagea brusquement. Tirant alors un revolver de sa poche, il fit feu sur la jeune femme. Cette dernière ne fut pas atteinte mais, sous le coup de l'émotion, s'affaissa sur le parquet.

Très surexcité, ne se rendant pas compte de ce qui venait d'arriver, croyant avoir tué celle qu'il aimait, il tourna le canon de l'arme contre lui et avant qu'on ait pu l'en empêcher, se logea une balle dans la tempe droite.

Le malheureux s'affaissa sans connaissance, perdant son sang en abondance.

On le transporta d'urgence à la pharmacie Dajon, 8, place de Clichy, où on lui donna des soins; puis, sur le conseil d'un médecin, le désespéré fut transporté à l'hospice Bichat, où il fut admis d'urgence.

M. Dupuis, commissaire de police du

quartier des Grandes-Carrières, informé de ce drame, s'est rendu à l'hôpital où il n'a pu que constater le décès » (*Le Matin*, mardi 19 février 1901).

(Picasso était l'ami intime de Carlos Casagemas. Son double. Il avait vingt ans. Toute sa vie il a été hanté par cette scène à laquelle il n'a pas assisté. Plusieurs de ses tableaux forment un « cycle de Casagemas », de 1901 à 1903, avec lequel il invente sa période bleue et, disent certains critiques, naît à la peinture moderne. *La Mort de Casagemas, L'Enterrement de Casagemas, La Vie* (des études préparatoires à ce tableau montrent qu'à la place de Casagemas il avait d'abord dessiné son autoportrait). *La Femme au châle* est Laure Florentin – qui est devenue sa maîtresse peu de temps après le drame.)

Est-ce à cause de l'assassinat de Jaurès au Café du Croissant, ou parce que j'ai beaucoup fréquenté le café « tenu par M. Guilleminot » en face du lycée Jules-Ferry (aujourd'hui le Clichy's Tavern), que je n'ai jamais pu me défaire de l'idée qu'un café est aussi, toujours, *le lieu du crime* ? (Dans la scène finale de *La Peau douce* tournée au Val d'Isère, rue de Berri, c'est la femme, armée d'un fusil de chasse, qui tire à bout portant sur son mari. François Truffaut s'est inspiré de l'affaire Nicole Gérard où le crime avait eu lieu dans la réalité au restaurant Le Petit Chevreau, rue de la Huchette.) La pharmacie Dajon, sur la place Clichy, a changé de nom mais est toujours ouverte 7 jours sur 7 et 24 heures sur 24.

Les scènes de rupture en public ne font pas toujours la une des journaux. Moins spectaculaire, le drame passe habituellement inaperçu aux yeux des consommateurs. Combien d'amants se sont séparés à la table d'à côté, en sourdine?

Happy hours

C'est le soir, surtout, que j'y pense, à l'heure d'une bière ou d'un verre de vin, quand l'air est doux et que les terrasses soudain débordent dans ces rues, sur ces places, où les cafés, toutes portes ouvertes, se serrent les uns contre les autres. Ils sont pleins de jeunes, des garçons et des filles de trente ans, certains restent debout, le verre à la main, sur le trottoir, circulent d'un groupe à l'autre, fument une cigarette. Ils semblent tous se connaître, parlent à droite et à gauche, rient, se tiennent par l'épaule, s'embrassent, je les trouve beaux, ils sont heureux d'être ensemble, pleins de confiance dans leur avenir, leurs yeux brillent – est-ce la bière, le vin, ou seulement la vie qu'ils respirent et leur jeunesse? Ils ne restent qu'un instant, en passant, ou commencent leur nuit.

Mais, à un moment ou un autre, quand je les regarde de loin, ou que je m'assieds parmi eux pour retrouver un ami, une inquiétude revient, une peur diffuse, lancinante, comme une piqûre au cœur. Il suffit d'une voiture qui roule trop vite, en nous frôlant, d'une moto, dont le moteur s'emballe sans raison, d'un sac qui traîne dans un coin, je ne peux réprimer un coup d'œil alentour, je guette une silhouette, malgré moi, je chasse de mon esprit ces cris, ces images de corps couchés sur le sol, ces hurlements de sirènes, ces listes de noms, et ces visages de *mémento* alignés dans les pages des journaux, auxquels ils ressemblent.

Trente-neuf morts.

Pourquoi cela ne recommencerait-il pas ici, maintenant? Nous n'en parlons pas, mais nous y pensons tous. Comment oublier l'ombre du 13 novembre qui plane toujours sur les terrasses du Petit Cambodge et du Carillon, de la Bonne Bière, du Comptoir Voltaire et de la Belle Équipe?

Unité de lieu

Qui se souvient du film de Jean Gehret et Henri Decoin, *Le Café du Cadran*? Tourné dans la grande salle du café qui lui a donné son titre, il est situé dans la réalité 1 rue Daunou, à quelques mètres de l'avenue de l'Opéra. Le premier plan filme en travelling arrière l'avenue, panoramique sur la gauche à la hauteur de l'intersection pour nous montrer sa façade et nous faire entrer dans le même mouvement à l'intérieur de l'établissement d'où nous ne sortirons plus. Le scénario et les dialogues sont de Pierre Bénard, alors directeur du *Canard enchaîné*, qui, avec d'autres journalistes, était un habitué de l'endroit.

L'histoire est celle des nouveaux propriétaires, un couple d'Auvergnats tout juste arrivés à Paris, Julien Couturier (Bernard Blier), derrière le comptoir, et Louise (Blanchette Brunoy), à la caisse. Luigi, le violoniste vedette du Café de Paris, le restaurant chic situé de l'autre côté de l'avenue, séduit la jeune provinciale. Le mari accumule les dettes, se croit trompé et tue sa femme d'un coup de revolver.

Mais l'intrigue a peu d'intérêt, le personnage principal, et le vrai sujet, c'est le café, sa grande salle, où défilent journalistes, facteur, encaisseur, livreur, concierge, chauffeur de taxi, mendiant, commerçants, voisins, ivrogne philosophe, gens du spectacle, amoureuse délaissée, tous les habitués du quartier, comme sur une scène. La caméra et les dialogues racontent en quelques plans et quelques répliques à chacune de leur apparition leurs vies et leurs égoïsmes, qui se mêlent, se heurtent, ou s'ignorent. Entrées et sorties des personnages qui font entendre dans cette enceinte la vie du dehors. Le film est une chronique populaire naturaliste, le café un microcosme social, sa salle un théâtre des individualités. Chacun s'y révèle. Les deux garçons, Jules, le jeune, au comptoir, et Victor, le vieux, en salle, jouent le rôle du chœur antique.

Le Café du Cadran est toujours en place, rue Daunou. Petite déception : le décor du film est une reconstitution à l'identique dans les studios de Boulogne de ce qu'il était en 1946 – il faudra attendre la Nouvelle Vague pour renouer avec les décors naturels –, même si les propriétaires de l'époque s'y sont, paraît-il, presque laissé tromper à la projection. Quand je m'y suis rendu, j'ai éprouvé un sentiment d'étrangeté. Est-ce le *vrai* café ou son double ? Comme si le modèle avait copié sa réplique cinématographique. Non, il faut que je m'en persuade, ce n'est pas ici que le tournage a eu lieu, et les décorations, la disposition intérieure ont bien changé. (Mais changé par rapport à quoi ?) Qu'est-ce que j'espérais y retrouver ? Le serveur, d'ailleurs, ne connaît pas le film. Il a à peine regardé les photogrammes que je lui ai montrés. C'est trop vieux, m'a-t-il dit. Il en a juste entendu parler.

Unité de temps

Dans une de ses nouvelles, *Le Client le plus obstiné du monde*, Simenon prend comme cadre un café qu'il situe boulevard Saint-Germain, à l'angle de la rue des Saints-Pères. Un café mi-fictif, mi-réel, dont il emprunte l'emplacement à celui du Rouquet, et le nom, Les Ministères, à celui d'un établissement de la rue de l'Université, toute proche. L'histoire se déroule, dans un premier temps, de l'ouverture, à huit heures du matin, jusqu'à la fermeture, à minuit.

Le sujet de cette histoire policière est centré sur l'attitude énigmatique d'un client qui passe toute la journée, seize heures d'affilée, assis sans bouger à la même table, suscitant les réactions de curiosité, d'agacement, d'inquiétude de Joseph, le garçon. Le coup de théâtre final, un assassinat, a lieu sur le trottoir, après le départ du client.

(Il est dommage que Simenon ne tienne pas jusqu'au bout ce qui ressemble d'abord à un pari d'écriture, la contrainte des unités de temps et de lieu, puisqu'il ajoute deux autres chapitres pour expliquer – laborieusement – cette énigme, en passant ailleurs, et plus tard.)

« Le Paris Rome, roman »

J'ai longtemps rêvé d'écrire le roman d'un café, ou celui de ses figurants, qui se déroulerait dans un même lieu, en une seule journée. Il aurait une adresse vérifiable, qui correspondrait à un établissement bien réel, et lui donnerait son titre. Je continue à faire des repérages. J'hésite entre le Général La Fayette, le Varenne, le Wepler, Le Canon des Gobelins – j'ai renoncé au Rubis dont l'étroitesse était pourtant un défi supplémentaire à relever (il a la taille d'une simple nouvelle), qui présente l'inconvénient d'être privé des ressources d'une terrasse et est moins accueillant depuis le changement de propriétaire). Il faudrait plutôt un café banal, sans histoire, sans mémoire ni signe particulier, qui ne figure dans aucun guide. « Le Paris Rome, roman » ?

Oui, cela pourrait se passer ici, à l'angle d'un boulevard et d'une rue, dans ce café de quartier comme on en voit un peu partout, où l'on entre sans l'avoir vraiment choisi, simplement parce qu'il est là, sur notre chemin. Une terrasse le borde sur toute sa longueur, d'une seule rangée de tables pour ne pas gêner le passage des piétons. Quand il fait beau, on ouvre les baies vitrées, des deux côtés.

À l'intérieur, les murs sont couverts de boiseries claires décorées de fines moulures. Banquettes et chaises mauves qui rappellent la tenue des serveurs (Marta, Mario, Nina, Étienne, Gilbert, mais le personnel change assez souvent. Une curiosité à signaler : « Christine », d'origine thaïe, est arrivée ici il y a deux ans sous le nom de « Christian ». La métamorphose est aujourd'hui complète). Tables en épais bois verni. Globes en applique et au lustre qui sont allumés même en plein jour. Le mobilier est de qualité. Il possède deux salles. Une grande, sur le boulevard, avec, dans un coin, un renfoncement, comme une alcôve, et un petit vestiaire protégé d'un rideau surmonté d'une étagère sur laquelle trône un coq. Une plus étroite, mais plus claire, côté rue, qu'on appelle « la loggia ». De grands miroirs portent des inscriptions jaunes et rouges peintes à la main. *Champagne à la coupe. Cocktails. Vin au verre. Croques. Planches. Plat du jour.* Sur le mur du passage qui relie les deux salles, une série de petites gravures œnologiques en couleur. *Déboucher. Humer. Verser. Déguster.* Une autre série, dans la grande salle, de plantes aromatiques. *Romarin. Ciboulette. Laurier. Persil.* Le nouveau gérant a accroché de grands posters de couleurs criardes inspirés du pop art représentant, sur fond de publicités, Brigitte Bardot, Jimi Hendrix et Coluche, qui détonnent dans ce décor traditionnel. À la hauteur du comptoir, une petite photographie encadrée, pas très nette, montre la façade de l'immeuble éventrée par des explosions ou des bombardements pendant la libération de Paris. Des ardoises, ici et là, affichent quelques consommations. *Café gourmand, 6,50 €. Kir royal, 7 €. Salers, 4 €. Pinte de bière, 6 €. Assiette de tapas à partager, 5 €.* La carte des consommations est posée, debout, une table sur deux. Les prix sont modestes.

De la musique est diffusée en permanence mais pas trop fort, au comptoir, ce qui ne dérange pas les clients de la grande salle, située à l'autre extrémité. Un petit écriteau sous verre est suspendu dans un coin, au fond de la salle. *Règlement des débits de boissons et répression de l'ivresse publique.* La pendule, face à l'escalier qui descend aux toilettes, s'entête à retarder de dix minutes. Voilà pour l'état des lieux qui offrent de nombreuses possibilités narratives. L'établissement ferme à une heure du matin.

L'histoire se passerait aujourd'hui, au présent. Je n'y inventerais rien – elle serait écrite au jour le jour, en temps réel, et resterait inachevée. Les personnages, anonymes, pourraient entrer, sortir, revenir, mais le narrateur, à l'âme de détective, resterait sur place, du matin au soir, pour enquêter sur le mystère du lieu et des gens, ordinaires, en prenant des notes. Il relèverait des indices, minuscules. Traquerait l'invisible. Un roman immobile, où il ne se passerait rien, que la vie, en morceaux. Une sorte de journal de bord de l'inaperçu et de l'insaisissable. Ou un poème. Regardée de près, de très près, la réalité la plus documentaire ne ressemble-t-elle pas à une fiction – pleine de romanesque? Ce livre, de plusieurs centaines de pages, serait tellement palpitant qu'on le dévorerait d'une seule traite. Et il connaîtrait un immense succès, bien sûr.

Fantômes et figurants

Mes rêveries, et mes rêves, trouvent leur place dans deux lieux de la ville que tout semble opposer, mais qui souvent se font face, ces cafés, transparents, ouverts sur la rue, et ces cimetières, clos de murs, que j'aurais tous beaucoup fréquentés. Je vais sans cesse des uns aux autres. Ce sont les deux pôles de mon imaginaire.

J'aime, assis à ma table, regarder, de tous mes yeux, les vivants, anonymes, et rappeler le souvenir des disparus, qu'on oublie, sous leur marbre, comme alternent l'ombre et la lumière, le jour et la nuit. Passer de l'agitation au silence. Du présent au passé. Rencontrer de nouveaux visages, bavards, et retrouver des figures anciennes et familières, muettes, à demi effacées. Être ici et ailleurs. En compagnie de ces figurants et de mes fantômes. J'écoute les uns, je fais parler les autres. Ils ont tous pour moi une égale présence.

Passantes, au Café des Dames

Quelques tables, en terrasse, encore déserte, sur l'avenue de Villiers. Le ciel est grand au-dessus des immeubles, la vue dégagée sur le carrefour. Le garçon donne un coup de balai, finit d'aligner les chaises et les tables. Il porte une chemise blanche impeccable et un nœud papillon. Pose un cendrier à chaque place. Je m'installe pour fumer ma première cigarette dans le soleil. Sur le trottoir d'en face, les gens sortent du métro, achètent un journal au kiosque, attendent au feu, traversent, d'un même pas. Ils viennent à ma rencontre. J'ai pris mon poste de surveillance. Je regarde, de tous mes yeux, je suis une vigie.

Des lycéens, qui se mettent à courir en dévalant la rue. Un bébé en poussette, les pieds à l'air. Un joggeur tatoué, un casque sur les oreilles. Un homme âgé, en chapeau de paille et chaussures de tennis. Une femme, un livre à la main, le doigt glissé entre deux pages, elle hésite sur le chemin à prendre. Une autre, rousse, qui se caresse les cheveux, devant une vitrine.

Tout est en place dans une mécanique bien réglée qui se réinvente sans cesse. Ils défilent, se croisent devant moi. Je suis invisible. Deux petites filles retroussent leur tee-shirt pour se montrer le nombril en riant. Un homme avec un étui à violon. Des gens en bras de chemise, d'autres en blouson. On ne sait pas comment s'habiller avec cette demi-saison. Je ne me lasserai pas d'en dresser l'inventaire. Mais ce sont les passantes auxquelles je m'attache. Elles sont mon recours. Je les accompagne sur quelques mètres, me glisse à leurs côtés, avant qu'elles ne disparaissent, hors de portée. Des femmes instantanées.

L'une porte de grosses lunettes noires. Une autre a de si jolies jambes. Elle serre un enfant dans ses bras. Une robe se relève dans un souffle d'air. Des cheveux caressent un visage. Celle-ci a la mine renfrognée, mais je ne lui en veux pas, elle ne parviendra pas à gâcher mon bonheur.

Celle-là rit toute seule, à ses anges. Cette autre parle à son téléphone. Celle-là, encore, en débardeur rouge, une petite bouteille d'eau à la main, s'arrête devant moi, me sourit, sans raison, avant de se perdre dans la foule. Elles s'offrent et se dérobent. Elles sont toutes jolies parce qu'elles me resteront inconnues, et que je ne les verrai pas vieillir.

Où vont-elles ? C'est avec moi qu'elles ont rendez-vous et elles ne le savent pas. J'aimerais pouvoir les retenir, entrer dans leurs pensées, respirer leur parfum, connaître leur nom, le timbre de leur voix, la douceur de leur peau. Les arrêter. Transformer le rêve en réalité. Voulez-vous prendre un verre ? Volontiers. Ou venir chez moi ? Pourquoi pas. Je fais tellement de rencontres en restant immobile. Chacune repart avec son secret. Un pigeon picore le trottoir à mes pieds. La journée sera belle.

Perdue de vue, au Charlotte

J'étais entré prendre un café pour patienter en attendant le début de la séance au cinéma, juste à côté, sur le même trottoir. Je viens rarement dans ce quartier, c'était la première fois que je mettais les pieds ici. Je m'étais assis à la table à gauche, près de la vitre. La salle était pleine de monde. Des couples, face à face ou côte à côte. Des femmes âgées, avec thé et pâtisserie. Des lycéens. Des personnes seules, comme moi. La tête baissée, sur leur portable, ou le regard perdu, dans le lointain. Une femme est arrivée, la taille serrée dans un imperméable, un châle très coloré sur les épaules. Elle a regardé à droite et à gauche comme si elle cherchait quelqu'un, ou simplement une place, s'est assise sur la banquette. De profil. J'ai hésité un moment à la reconnaître, et puis j'ai été sûr que c'était elle. Les cafés vous mettent parfois devant ces rendez-vous du hasard.

Cela faisait combien d'années que nous ne nous étions pas vus? Vingt? Vingt-cinq? Plus que cela. Au moins trente ans. Il aurait fallu compter. J'ai cherché son nom... Elle a jeté un nouveau coup d'œil indifférent sur la salle, sans me voir. C'était tellement improbable de la retrouver ici. Est-ce qu'elle habitait dans le coin? Ou y travaillait? Elle avait vieilli, bien sûr, mais pas beaucoup changé. Les cheveux plus courts, ça lui allait bien. Toujours mince. Élégante. Un peu rigide. Elle a fait glisser son châle et son imperméable de ses épaules, les a pliés soigneusement et posés à côté d'elle, sur la banquette, découvrant une veste noire sur un chemisier blanc. Elle s'est mise à tourner les pages d'un calepin qu'elle avait sorti de son sac avec un petit stylo doré, puis à consulter son portable. Jeanne, c'est ça. Les souvenirs me revenaient, par à-coups, de plus en plus précis. Elle tenait sa cuillère de la main gauche, oui, elle était gauchère. Un large bracelet en argent, son bracelet d'esclave comme elle disait. De grosses boucles d'oreilles, comme celles qu'elle gardait même la nuit pour dormir, je m'étais étonné que ça ne la gêne pas. Beaucoup de sucre dans son thé, elle venait d'en redemander au serveur. Un corps parfait, qui m'avait coupé le souffle, la première fois. J'avais souvent pensé qu'on se retrouverait, qu'il n'était pas possible que cela se termine comme ça, et puis, peu à peu, ça m'avait passé.

Elle attendait peut-être quelqu'un. Je me suis levé pour m'approcher de sa table. J'étais presque intimidé. Elle a senti ma présence, debout devant elle, a redressé la tête, m'a dévisagé. « Jeanne ? »
Elle a eu l'air étonnée, contrariée, a froncé

légèrement les sourcils, s'est mordillé les lèvres comme elle le faisait souvent. Je lui ai souri. « Oui ? » Elle a dit cela d'un ton un peu brusque, sur la défensive. Elle ne me reconnaissait pas. Entendre sa voix m'a donné un petit coup au cœur. Elle vient de si loin. Est là, tout à coup. « Je peux m'asseoir ? Je ne te dérange pas ? » « Non... enfin, oui... vous... » Je l'ai prise au dépourvu, elle ferme son portable, le pose à côté du calepin. Nous nous regardons. Elle a toujours été si sérieuse. Ses yeux me cherchent encore, elle essaie de me situer, fait un effort, se méfie, c'est confus dans son esprit, de quel passé est-ce que je sors, elle se croit peut-être prise dans un piège, imagine avoir affaire à un importun, elle n'a pas eu le temps de se préparer.

Elle est encore très belle. Ses traits se sont un peu alourdis, à peine. Cela la rend plus émouvante, avec ce poids des années. Quelques rides, très fines, au bord des paupières. Elle pleurait facilement, en silence. C'est rien, une allergie, disait-elle, ça va passer. La marque de lunettes, de chaque côté du nez. Elle en mettait déjà pour lire. Les cheveux trop noirs pour n'être pas teints. La même fossette au menton sur laquelle elle passait un doigt quand elle s'absentait au milieu d'une conversation. Les mains, plus marquées, avec des taches brunes, qui ne trompent pas. « C'est drôle de se retrouver, comme ça... » Elle a un sourire contraint, comme empêchée, en se pinçant à nouveau les lèvres. « Qu'est-ce que tu fais ici ? » Elle hausse les épaules. « Je vis à Strasbourg... » Elle est de passage à Paris, pour quelques jours seulement, chez une amie. « Alors, c'est encore plus incroyable de se rencontrer... » Elle continue de me fixer, dans le vide. « Et qu'est-ce que tu es devenue ?... » Elle tourne la cuillère dans la tasse. « Oh, moi... » Elle cherche, encore sur la réserve, ne veut rien laisser paraître. « Et vous ?... Et toi ? » Elle a du mal. Ai-je tellement changé ? Elle boit un peu de thé, se donne une contenance, chiffonne le papier du sucre. Est-ce que je dois lui rappeler ma chambre de bonne, rue Daru, où elle me rejoignait l'après-midi ? Je lui donne quelques noms, ça devrait l'aider. « Bastien ? Tu te souviens ?... Je l'ai croisé une ou deux fois... toujours le même. Et Mathilde ?... » Elle semble se détendre. « Oui, Mathilde... j'ai continué à la voir, nous étions très amies... Je n'ai plus de ses nouvelles. » Et Vincent ? « Il a disparu, dans un accident, il y a quelques années... » Elle ne savait

pas, ou elle a oublié. Il y a longtemps qu'elle a
« coupé les ponts », me dit-elle.

Un éclair passe dans son regard, ça y est, elle
s'immobilise, c'est en train de lui revenir. Elle ne
peut pas avoir oublié. Elle raccorde les noms et
les visages. De quoi se souvient-elle? Des bons
ou des mauvais moments? « Et qu'est-ce que tu
as fait... après? » « Un peu de tout, pas grand-
chose... » Elle guette ma réaction, se surveille
encore. « De l'enseignement, deux ans... Je ne
devais pas être faite pour ça... Du journalisme,
dans des revues qui ont disparu... Maintenant,
je travaille dans une maison d'édition... pour la
jeunesse... Rien de glorieux. » « Mariée? » « Oui,
mariée... ça n'a pas duré... » Avec deux enfants,
des garçons. « Ils sont à l'étranger tous les
deux... » « Tu es seule? » Ses yeux se brouillent,
elle tourne la tête, se ressaisit. A un petit rire
qui sonne faux. « C'est rien... » Je lui raconte
un peu ma vie, mais elle ne m'a rien demandé.
Les gens circulent autour de nous, parlent fort
aux tables voisines. Des histoires de famille, de
bureau. Elle se frotte nerveusement les mains.
Acquiesce, pour la forme. Ça ne l'intéresse pas.
Elle ne m'écoute pas. À quoi pense-t-elle? Pas à
la rue Daru. Son regard se promène par-dessus

mon épaule. Elle est mal à l'aise, comme si elle craignait qu'on ne nous surprenne. « Comment c'est, à Strasbourg?... Les gens... ton travail... » Mais elle n'a plus rien à me dire.

Un silence, gêné. Son doigt sur la fossette du menton. Elle finit sa tasse de thé avec une grimace, il est froid. Le serveur passe près de nous, me demande s'il peut débarrasser ma table, là-bas. Je commande un autre café pour nous donner encore du temps. De toute façon, c'est trop tard pour le cinéma, la séance a déjà commencé. « Tu prends autre chose? » « Non, rien... merci. » Je mets mes coudes sur la table, me penche vers elle, elle a un mouvement de recul, se redresse, s'agite, fait semblant de jeter un coup d'œil à sa montre, ouvre son sac. « Tu m'excuseras... Il faut que j'y aille... » Elle range son portable, son calepin, sort son porte-monnaie. Je la retiens d'un geste. « Non, laisse... » Je n'ose pas lui demander son numéro de téléphone, ni son adresse. Elle se lève, enfile son imperméable, s'entoure les épaules de son châle, m'embrasse rapidement sur une joue, quand même. L'odeur d'un parfum. « Merci... pour le thé... Une prochaine fois, alors. » Je l'ai vue s'éloigner, de dos. Avant de franchir la porte, elle s'est juste retournée, à peine.

L'amour l'après-midi, aux Oiseaux

Elle arrivait toujours la première, peu après quinze heures. Une blonde, toute menue, en jean et veste de cuir, les cheveux, très fins, remontés en chignon, l'air si sage, avec un visage de poupée aux yeux immenses. Le café est tranquille à ce moment-là. Elle s'installait à la même table, au milieu de la banquette, juste en face de la porte qui donne sur le square, commandait un demi.

D'où venait-elle? Du lycée Jacques-Decour, sans doute, qui est à deux pas, le cartable à la main, le sac en bandoulière. Mais elle n'avait pas le genre d'un professeur – ce qui ne veut rien dire. Quelle discipline pouvait-elle enseigner? L'histoire, les lettres, la philosophie peut-être, pour jouer les contre-emplois... Ses élèves devaient l'aimer. Comment faire autrement? Le temps de se remaquiller, elle se roulait une cigarette, et il la rejoignait, s'asseyait non pas en face mais à côté d'elle, collé à elle, l'embrassait. Il devait bien avoir dix ans de plus, avec une grande mèche sur le front, de petites lunettes rondes, un sac à dos de cuir à l'épaule et un blouson de daim qu'il ne prenait même pas le temps d'enlever.

Il avait du mal à se retenir, la main posée sur son cou descendait très vite, s'attardait sur sa poitrine puis glissait jusqu'à sa hanche, s'arrêtait entre ses cuisses. Ils avaient du temps à rattraper. Le gérant les surveillait, il venait exprès fourrager dans le buffet aux couverts, près d'eux, en faisant beaucoup de bruit, la mine renfrognée, c'était sa façon de les rappeler à l'ordre. Ils se reprenaient, s'écartaient un bref instant comme des élèves pris en faute, avant de recommencer à s'embrasser, longuement, à se toucher, ne parlaient pas beaucoup, les yeux dans les yeux. Au bout d'un quart d'heure, ils finissaient leur verre d'un trait, se levaient, c'est lui qui réglait les consommations, je les voyais s'éloigner à travers la baie vitrée, longer la grille du square, il lui portait son cartable, ils marchaient vite, la main dans la main.

Je les ai observés pendant deux ou trois mois, je venais là régulièrement, à la même heure, tous les jeudis. Peut-être se retrouvaient-ils encore à d'autres moments de la semaine, je n'en suis pas sûr. Il arrivait souvent avec de petits paquets, toujours bien présentés, noués d'un ruban. Des livres. Un foulard. Un stylo. Une paire de boucles d'oreilles, qu'elle a mises aussitôt, en se tournant vers le grand miroir, à la place de celles qu'elle portait. Elle paraissait toute fière, bien droite, souriait. Quand ils se sont levés, je suis sorti derrière eux, je les ai vus entrer dans le premier hôtel, un peu plus bas, sur l'avenue Trudaine.

Un jour, il est arrivé avec une demi-heure de retard. Elle avait fini son demi depuis long-temps. Il s'est assis en face d'elle, a commandé un café qu'il n'a pas touché. Il lui parlait à voix basse, cherchait sa main sur la table, qu'elle retirait. Il lui a donné un paquet qu'elle n'a pas ouvert. Elle ne disait rien.

Il a payé les consommations. Elle a attendu qu'il se soit levé de sa chaise, ait quitté la salle, pour laisser aller ses larmes en baissant la tête.

La semaine suivante, elle est arrivée, à la même heure, son cartable à la main, s'est assise à la même place. Elle est restée pendant au moins deux heures sur sa banquette. Elle a commandé un autre demi. Elle ne quittait pas des yeux la porte et le trottoir d'en face, faisait tourner son verre, attendait, pour rien, elle le savait.

Elle a continué de venir pendant plusieurs

semaines, elle s'installait à présent sur la chaise, dans l'autre sens, le dos rond, tourné à la salle. Immobile, sans rien faire. Commandait un demi qu'elle ne buvait pas. Nos regards se croisaient quand elle poussait la porte en entrant, mais nous ne nous sommes jamais parlé. Quel poète a dit : « Ceux qui n'ont pas d'amour habitent les cafés » ?

(Plus tard, j'ai appris que c'est ici, place d'Anvers, au café Les Oiseaux, le 29 mai 1934, à minuit, qu'André Breton a fait la connaissance de Jacqueline Lamba. Son « ondine », « la toute-puissante ordonnatrice de la nuit du tournesol », qui allait devenir sa deuxième femme, comme il le raconte dans *L'Amour fou*.)

La Prune, à La Nouvelle Athènes

Le tableau de Manet, *La Prune*, représente une jeune femme blonde en robe rose, lavallière blanche, petit chapeau orné d'un ruban. Son regard est perdu, doucement songeur. Elle tient une cigarette à la main gauche. Un verre d'eau-de-vie est posé devant elle sur la table de marbre.

Le décor est un coin de salle de La Nouvelle Athènes, place Pigalle, reconstitué dans l'atelier du peintre de la rue de Saint-Pétersbourg. Elle est figée, n'a pas encore touché à son verre, ni allumé sa cigarette.

Les femmes s'émancipent à cette époque, elles fument, elles boivent, en public, elles entrent dans les cafés, même seules.

Elle attend, elle aussi. Un client? On ne sait pas. Elle n'a pas l'air farouche. Une jeune ouvrière de la mode? Une lorette? C'est un peu la même chose, aux heures creuses, et on est dans le quartier. Mystérieuse. Secrète. Elle ne cherche pas à séduire. Pas de boucles d'oreilles. Aucun bijou. Lèvres à peine rosées, naturelles. Elle a la tête ailleurs. Pensive. Peut-être n'attend-elle rien. Que le temps qui passe. Sa tête penchée qu'elle soutient de la main droite, accoudée à la table, est celle de la Mélancolie. Pourtant, la mélancolie n'est pas son genre. Elle ne fait pas de manières, d'habitude. Plutôt vive et enjouée. Sans façons. À moins qu'elle n'en soit pas à son premier verre. Qu'elle ait quelque chose à oublier. Une journée de travail. Ou quelqu'un. On vient de la quitter. De se fâcher. Mais avec tout ce rose, ce blanc, ce blond, cette lumière... Juste un moment d'absence, de rêverie, de fatigue, ou une petite bouderie. Un peu de vague à l'âme, pas plus.

Le titre du tableau vient de la prune qu'elle s'apprête à boire. Mais le nom lui irait si bien. Avec son nez court, un peu relevé, et son drôle de minois. Elle pourrait s'appeler « Prune ». Ou ce serait son surnom. « La Prune ».

(Dans la « vraie vie », elle s'appelait Ellen Andrée, avait vingt-deux ans, était actrice. C'est elle qui a créé le personnage de Madame Boulingrin, de Courteline, au Grand-Guignol, cité Chaptal. Le théâtre des horreurs, où l'on jouait à se faire peur. Mais là, c'était une comédie. Sa spécialité. Elle a joué pour Sacha Guitry, Jules Renard et a été mime aux Folies Bergère. Toujours pour rire. Elle a posé pour le photographe Nadar. Elle servait aussi de modèle à ses amis peintres, elle passe d'un tableau à un autre. Pour Renoir, dans *Le Déjeuner des canotiers* et *La Fin du déjeuner*, pour Degas, dans *L'Absinthe*, pour Manet, dans *Au café* et *Chez le père Lathuille*. Ce sont tous des scènes dans des cafés, qu'elle devait aimer. Dans *Rolla* de Gervex, c'est encore elle, entièrement nue, cette fois, allongée sur le dos, dans un lit, après l'amour, les jambes entrouvertes, une cuisse relevée. Elle a demandé au peintre de lui mettre un autre visage pour qu'on ne la reconnaisse pas. Enfin, sauf, peut-être, certains. C'est une brune qui a posé pour la tête. Oui, La Prune. La fille de La Nouvelle Athènes. Cela lui va bien.)

Nadja, au Wepler

Quand elle a rencontré André Breton, le 4 octobre 1926, Nadja logeait dans une petite chambre de l'Hôtel du Théâtre, rue de Chéroy, face à l'entrée des artistes du Théâtre des Arts, aujourd'hui Hébertot, qui donne sur le boulevard des Batignolles. Elle avait vingt-quatre ans, vivait difficilement, d'expédients, fréquentait des milieux interlopes, mais rêvait de théâtre. Elle aurait voulu être costumière, ou danseuse, et peut-être a-t-elle été ici figurante d'occasion. Elle passait ses journées à marcher dans les rues, d'un café à l'autre. Elle venait souvent s'attabler au Wepler, place Clichy. Breton habitait 42 rue Fontaine, sous la place Blanche. Le café est situé à mi-chemin de leurs domiciles respectifs.

Il suffisait de quelques minutes à pied pour s'y rendre, à l'un comme à l'autre. Peut-être leur est-il arrivé de s'y retrouver. Une des lettres qu'elle lui a adressées porte l'en-tête du café. Comme un signe, un souvenir, un rappel.

« *Wepler*
Café-Restaurant
14, place Clichy – Paris
Téléphone : Marcadet 02 89

    Mon André,
    C'est froid quand je suis seule j'ai peur de moi-même... Quand tu es là... le ciel est à nous deux... et nous ne formons plus qu'un... rêve si bleu... comme une voix azurée, comme ton souffle.
    André je t'aime. Pourquoi dis, pourquoi m'as-tu pris mes yeux.

Ta NADJA »

La lettre n'est pas datée, mais elle a été écrite le 22 octobre 1926, comme l'indique l'oblitération du bureau de poste voisin, « rue Ballu », sur l'enveloppe, qui elle aussi porte le nom et l'adresse du Wepler. À ce moment-là, Breton a commencé à prendre ses distances avec elle.

Après les dix jours où ils se sont vus quotidiennement, il veut mettre un terme à leur relation, espace de plus en plus leurs rencontres, jusqu'à la rupture. Depuis la nuit du 13 octobre, exactement, qu'ils ont passée ensemble dans un hôtel de Saint-Germain-en-Laye. Si elle a exercé sur lui une puissante attraction en incarnant, dit-il, « le point extrême de l'aspiration surréaliste, sa plus forte idée limite », il sait qu'il ne l'aime pas. Elle se sent perdue, abandonnée, se plaint d'avoir été « utilisée », et « retombe » dans sa vie misérable. Des petits emplois de vendeuse qui ne durent pas. Une histoire de bagarre aussi, sordide. Des dettes. « C'est froid quand je suis seule j'ai peur de moi-même... » Quand elle ne peut plus régler sa note à l'Hôtel du Théâtre, le gérant lui propose de se faire payer en nature. Puis l'expulse. « Que faire ? » dit Breton. Il ne peut rien pour elle, que l'aider financièrement. Elle est « dangereuse », écrit-il. Pour lui, pour elle-même. Sa santé, déjà fragile, se dégrade vite. Elle revient au Wepler, se met à lui écrire, des pneumatiques, multiplie les lettres, elle dessine. « Pourquoi dis, pourquoi m'as-tu pris mes yeux. » Elle attend, assise derrière une table. Autant d'appels désespérés.

Moins de deux ans plus tard, Henry Miller a lui aussi beaucoup fréquenté les abords de la place Clichy et le Wepler. Il nous apprend ce qui se passait dans ses toilettes, ou en terrasse. Petits trafics de cocaïne, comme ceux qui avaient déjà conduit Nadja au Dépôt. Prostitution des « lucioles parfumées », le soir, qui cherchent des clients, comme elle l'avait déjà pratiquée dans les halls des grands hôtels, au Claridge, ou les cafés. C'est ici « la bourse du sexe », dit-il.

Un jour de 1928, il fait la rencontre « d'une beauté ravissante, assise toute seule dans un coin du café ». Elle est « fière et discrète ». Elle attend, elle aussi. Elle ne veut pas passer pour une « professionnelle ». Elle s'appelle Nys. « Je n'avais jamais connu de fille de ce nom. C'était comme le nom d'une pierre précieuse. » Comme Nadja, elle ne connaît personne à Paris. « Sa voix me fit plus d'impression encore que son sourire. » Ils partent ensemble jusqu'à un hôtel « qu'elle semblait bien connaître ».

Quelles rencontres d'une nuit Nadja a-t-elle faites au Wepler ? À quelles activités clandestines s'est-elle livrée? Elle décide de s'effacer de la vie de Breton. Elle avait déjà franchi toute « limite ». « Ma raison se meurt. » Quelques mois plus tard, après une crise de démence, elle est internée dans un asile d'aliénés où elle restera quinze ans, jusqu'à sa mort, en 1941. Breton ne lui a jamais rendu visite.

À quelle table Nadja « aux yeux de fougère » était-elle assise quand elle lui a écrit? Le café ne fournit plus de papier à lettres à en-tête ni d'enveloppes à ses clients. Et Nys, au nom de « pierre précieuse » et « à la voix grave et rauque »? En terrasse? Sur la longue banquette du fond? Dans le coin, en entrant, près de la baie vitrée? Pourquoi est-ce que j'attache tellement d'importance à ces détails? Ce sont les ombres du Wepler. Elles étaient là, à attendre.

Les filles du Sans Souci

On l'appelait « Domino », elle travaillait comme « danseuse » à Pigalle. Son corps, méconnaissable, entièrement brûlé, a été retrouvé le 30 mai 1959, à cinq heures du matin, dans la forêt de Fontainebleau. Il achevait encore de se consumer. L'autopsie a révélé qu'elle avait été criblée de cinq balles tirées de face, mais qu'aucune n'était mortelle et que sa mort était due à l'asphyxie.

Le procès-verbal établi à l'institut médico-légal précisait qu'elle portait cette nuit-là « un soutien-gorge noir à armatures, un pull-over en orlon jaune paille, un manteau trois-quarts bleu ciel à martingale, un slip bleu à pois blancs, une jupe à rayures horizontales bleues, blanches et noires, un jupon à volant de dentelle, une ceinture en plastique noire. Pas de bas ». La presse a parlé de « la morte sans visage ». Puis de « la Cendrillon de la forêt de Fontainebleau » quand ses escarpins, en remontant jusqu'à un vendeur de la rue Duperré, ont permis de l'identifier. C'était un « modèle Baccarat, de couleur framboise, à bride et patte blanches. Pointure 37 ».

Dominique Thirel avait vingt-deux ans, les yeux bleus, les cheveux longs, noués en queue de cheval, de couleur châtain foncé. Elle portait des jupes bouffantes, comme Brigitte Bardot. « Plutôt jolie », elle ne passait pas inaperçue. Elle était originaire des Ardennes. Elle aussi voulait tenter sa chance à Paris. Elle fréquentait Le Sans Souci, à l'angle de la rue Pigalle et de la rue de Douai, en face du music-hall Tabarin. C'est là qu'on l'avait vue pour la dernière fois, la nuit du drame, à une heure du matin, en compagnie de son « ami » Georges Rapin, que la police est venue arrêter au comptoir du café, au milieu d'une partie de 421.

Tout le monde le connaissait dans le quartier. C'était un simple « cave », un gosse de riches qui rêvait de devenir un dur, un vrai, de Pigalle, comme dans les films, avec Monsieur Max, Bob le Flambeur ou Tony le Stéphanois. Il se faisait appeler Monsieur Bill. Passait ses journées au Sans Souci, le rendez-vous des caïds, ses héros. Il roulait en Dauphine Gordini noire, portait comme eux un 7,65 à la ceinture, des lunettes noires, un costume cintré coupé sur mesure, veste croisée, cravate blanche, cheveux gominés, fine moustache. La panoplie était complète. Il racontait ses faux braquages, buvait des 51 secs, payait des tournées, plaisantait avec les filles. Le soir, il rentrait dormir chez ses parents, boulevard Saint-Germain.

C'est au Sans Souci qu'il a rencontré « Domino », dont le « mari » était à la prison de la Santé pour deux ans. Pour mieux se convaincre qu'il était du milieu, il a voulu la faire travailler pour lui. Il était gentil avec elle. C'est lui qui la protégerait. Mais elle ne le prenait pas au sérieux. Il s'était vexé. S'il l'a tuée, dira-t-il, c'est « parce qu'elle ne rapportait pas assez ». On le voit à la une des journaux poser fièrement devant les journalistes avec ses lunettes noires, menottes aux poignets, la cigarette aux lèvres, une grosse chevalière au doigt. Il a revendiqué onze assassinats imaginaires, a été exécuté en juillet 1960 dans la cour de la Santé, à vingt-quatre ans. Il a dit : « C'est le plus beau jour de ma vie. » La presse a parlé de « suicide à la guillotine ».

Depuis quand les filles ont-elles quitté les trottoirs de Pigalle ? Elles s'appelaient « Véra », « Lola » ou « Natacha », les noms du métier. Elles venaient faire une partie de flipper et s'asseoir, entre deux passes, sur les hauts tabourets rouges au comptoir du Sans Souci dont le néon clignote encore dans la nuit. L'été, on laissait la porte ouverte à deux battants. En face, Tabarin avait déjà été remplacé par un immeuble en béton. À côté, une boulangerie restait ouverte toute la nuit. Je m'asseyais à l'autre extrémité du bar et les regardais à la dérobée se remaquiller dans leur miroir de poche. L'une d'entre elles portait des traces de brûlures à l'acide sur tout le côté droit du visage qu'elle cherchait à dissimuler sous une mèche de cheveux et de grandes lunettes noires. Elles fumaient des Craven "A" dans des boîtes en métal. Parlaient avec le garçon de leur nouvelle coiffure ou de leur dernier week-end à Deauville. Buvaient une grenadine ou un Vichy-menthe. Une bombe lacrymogène au fond de leur sac. Leurs cuisses de nylon filé s'ouvraient sous leur minijupe de cuir noir. Avaient-elles connu « Domino » ? Et Monsieur Bill ?

La dormeuse, au Dôme de Villiers

Elle a dix ans peut-être. Est assise, seule, à une table, dans le fond. Elle tient dans ses mains une tablette et joue à je ne sais quel jeu vidéo avec toute la concentration de son âge, indifférente au bruit de la salle. Je la vois de trois quarts, un peu de dos, de grandes boucles blondes tombent sur ses épaules. Un verre et une bouteille de Coca entamée sont posés devant elle. Que fait-elle ici toute seule ? Le serveur passe, sans un regard. On l'a laissée un instant, on va revenir, peut-être. Le temps d'aller aux toilettes, ou de faire une course, à côté. Ne bouge pas. Tu m'attends. Reste tranquille. J'en ai pour une minute. Elle ne semble pas inquiète, elle doit avoir l'habitude. Elle est bien droite sur sa chaise, les avant-bras en appui sur le bord de la table, absorbée par son jeu. Rien ne la distrait. De temps en temps, elle se penche un peu pour se gratter la jambe d'une main sans quitter son écran des yeux. Personne ne prête attention à elle.

Et puis, lentement, une tête est apparue au-dessus de la table, en face d'elle. Celle d'une femme, blonde comme elle, mais les cheveux en désordre, le visage défait, les joues rouges, les yeux vides. Elle se redresse, encore engourdie, sur la banquette, où elle s'est allongée pour dormir quelques minutes. La petite continue de jouer. Elles ne se regardent pas, ne se parlent pas. La femme reste un moment immobile, comme pour reprendre ses esprits. Est-ce seulement le sommeil qui marque ses traits ? Elle est lasse. Sans un mot, elle remonte les manches de son gros pull, cherche son sac, à tâtons, ses gestes sont ralentis, et se met à se brosser les cheveux, longuement. À se remaquiller, avec application. Poudre, fard, rouge à lèvres. Elle se sent mieux, range ses affaires, finit le fond de Coca dans le verre de la petite, il n'y en a pas d'autre sur la table, croise les bras, attend. Elle est belle, maintenant. Je suis frappé par sa jeunesse. Est-ce sa mère ou sa sœur ? Elle ne regarde pas autour d'elle. Elle fait un effort pour se lever, elle porte un pantalon, est très mince, elle dit juste à la petite : « Allez, viens... On s'en va. » Elle se glisse entre les deux tables. La petite se lève à son tour, sans quitter des yeux son écran qu'elle tient toujours à deux mains, et la suit, un peu en retrait, jusqu'à la sortie.

M. B., au Francœur

Le serveur a posé la photo devant moi. Un polaroid, en couleur. Je jette un coup d'œil dessus. Que me veut-il ? Je mets quelques instants à me reconnaître. Pas de doute, c'est bien moi. J'ai la tête un peu penchée, je suis en train d'écrire dans mon carnet. C'est ici, maintenant.

Ou il y a un instant, à peine. La même salle, la table de l'angle que j'occupe souvent, comme aujourd'hui, le miroir, coupé, derrière moi. Ma veste sur le dossier de la chaise. Je ne comprends pas. Je me redresse, l'interroge du regard. « Vous ne vous êtes rendu compte de rien, n'est-ce pas ? » Ça a l'air de l'amuser. « C'est la jeune femme qui était assise, là, juste en face de vous, sur la banquette. Elle m'a demandé de vous la donner une fois qu'elle serait partie. »

La place est vide, il reste une tasse et un verre d'eau sur la table, quelques pièces de monnaie. Je suis troublé, intrigué, mal à l'aise, un peu inquiet. Je vérifie à nouveau, à la recherche d'un détail, d'un indice, qui m'aurait échappé, comme s'il s'agissait d'un trucage. « Rien d'autre ? Elle ne vous a pas dit quelque chose pour moi ? Ne vous a pas laissé de message ? – Non. – Est-ce que je la connais ? – Je ne crois pas. – Et vous, vous la connaissez ? – Je l'ai déjà vue. Mais ce n'est pas quelqu'un du quartier. – Pourquoi moi ? » Il hausse les épaules. « Vous n'êtes pas le premier. Elle photographie un client, puis disparaît. Je crois qu'elle fait ça un peu partout, toujours dans des cafés. Elle est discrète. On ne prête pas attention à elle. »

Je me rappelle vaguement une brune, à lunettes, mais je ne pourrais pas dire un âge. De quelle couleur sa robe? Bleue? Non, noire. Et une grosse ceinture rouge. Je l'ai à peine remarquée. Elle devait déjà être là quand je me suis installé. « Oui, avec un sac en bandoulière, une femme comme une autre, assez jolie quand même. » Il rit. « Vous êtes très bien. Et ressemblant. Prenez-la. Il n'y a pas de risque. C'est gratuit. Vous devriez être flatté. Moi, à votre place... »

Je me tourne vers la rue. Est-ce qu'elle se cache quelque part, continue de me surveiller pour connaître ma réaction? Je pourrais lui courir après, essayer de la rattraper, exiger une explication, mais non, c'est trop tard. Je regarde à nouveau la place vide, puis la photo. Bien cadrée. Nette. Rien d'improvisé. Elle a pris tout son temps. Je n'ai rien vu. Je me suis laissé surprendre. Vexé. Je pourrais toujours la faire disparaître, la déchirer. Moi qui passe mon temps à observer les autres...

Dans quel but fait-elle cela? Pour jouer les fantômes. Marquer son territoire. Tisser des liens invisibles. Me faire signe. Se manifestera-t-elle à nouveau? C'est peut-être une photographe professionnelle, une artiste, qui cherche à construire une œuvre invisible, anonyme, dispersée, dont elle ne conserve aucune trace, derrière laquelle elle s'efface.

Je finis ma tasse de café. Mon léger malaise se dissipe peu à peu. Après tout, elle m'a rendu ce qu'elle m'a volé. Rien qu'une image. Sans négatif, c'est un exemplaire unique, qu'elle ne pourra pas reproduire, ni diffuser. Je me rassure. Je ne traîne pas dans de mauvaises mains.

Et c'est à elle que je pense, maintenant, comme dans un contrechamp, en cherchant à la ressaisir. Son regard s'est posé sur moi. Un portrait se fait à deux. Oui, elle m'a juste laissé un souvenir, en passant, et déjà un vague regret. Peut-être est-ce tout ce qu'elle souhaite. Me troubler. Entrer subrepticement dans ma vie. N'être qu'un rêve. Une absence. Si je la croisais, serais-je capable de la reconnaître ? Je pourrais laisser un mot à son intention au garçon. Mettre une annonce. Afficher un avis. On recherche. Une femme brune. Robe noire. Lunettes. Large ceinture rouge.

Au dos de la photo, quelques mots, trois lignes, sont écrits à la main, d'une grosse écriture, en blanc sur le fond noir. « Café Francœur – 18 juillet 2017 – M. B. »

La liseuse, Au Chien qui Fume

Un casque de moto est posé à côté d'elle, sur la banquette. Elle porte une robe, à fines bretelles, légère, un imprimé de couleurs claires. C'est une brune, avec une tache de naissance à la tempe et sur le bord de la joue, ses cheveux sont serrés par un élastique. Sa robe remonte sur ses cuisses, qu'elle décolle de temps en temps de la moleskine, il fait chaud. Sur la table, une petite bouteille de Schweppes entamée, un verre avec une paille.

Un livre est ouvert devant elle. Format de poche, assez mince. Elle est absorbée dans sa lecture, ne paraît pas gênée par l'agitation, le bruit, qui règnent dans la salle, elle tourne lentement les pages l'une après l'autre, d'une main, l'autre soutient sa tête, le coude sur la table. Un roman, sans doute. J'aimerais voir la couverture. Un classique ? J'essaie quelques noms d'auteurs, des titres parmi les livres que je connais, que j'aime. Non, plutôt quelque chose de contemporain. Un policier? Ou une auto-fiction? Oui, une histoire de femme, ça lui va mieux. Ce n'est qu'un préjugé. Mes supposi-tions ne riment à rien. Je guette ses gestes. Peut-être va-t-elle changer de position, s'interrompre un instant, le retourner sur la table. Elle ne lève pas la tête, ne semble pas sentir mon regard insistant posé sur elle. À moins qu'elle ne feigne de m'ignorer pour me tenir à distance, découra-ger mes tentatives d'approche. Nous ne sommes séparés que par quelques tables. Mais non, elle poursuit tranquillement sa lecture, ligne à ligne, sa concentration ne trompe pas, elle est ailleurs, dans son histoire où je n'ai pas de place, ni per-sonne autour d'elle.

Elle tend sa main libre sans quitter le livre des yeux, comme une automate, approche dou-cement le verre, aspire de petites gorgées de Schweppes avec la paille. Croise les jambes, ce qui découvre un peu plus ses cuisses. Sa main pose le verre, passe maintenant sous la table pour tirer sa robe d'un geste instinctif. Elle fait glisser l'une de ses chaussures, son pied nu se pose sur le sol. Fraîcheur du carrelage. Si elle relevait la tête, je pourrais essayer de capter son regard. Elle a repris le verre, mâchouille la paille, se mordille les lèvres. Elle a vingt-huit, trente ans. Une montre d'homme au poignet, une bague, et de grosses boucles d'oreilles fantaisie.

Peut-être serais-je déçu de découvrir ce qu'elle lit avec tant d'intérêt. Un de ces faux livres qui s'empilent sur les tables des librairies. Non, elle vaut mieux que cela. Le casque de moto m'intrigue. Cela ne lui ressemble pas. J'essaie de l'imaginer sur une grosse machine. Un scooter. Ou un petit vélomoteur. Comment fait-elle avec sa robe? Rien de garé à proximité, sur le trottoir. Elle n'est que passagère. Elle attend quelqu'un, c'est ça. Ma curiosité augmente. Je ne parviens pas à détourner mon attention. Un manuel pratique de comptabilité, ou de marketing? Elle n'aurait pas ce genre-là, me dis-je pour me rassurer. Encore un préjugé. Comment savoir? Un guide pour jeune maman? Des recettes de cuisine? Ma rêverie s'oriente mal... Du théâtre, peut-être. De la poésie, ce serait encore mieux. Ou un livre érotique, pourquoi pas? Elle le maintient bien à plat sur la table, avec trop de soin, comme si elle voulait le cacher. Elle ne se promènerait pas avec ça. Plaisir solitaire, intime, secret. Dis-moi qui tu lis... Je me ferais une idée de ses goûts. Mais le simple fait qu'elle lise, déjà... Et pas de téléphone portable.

Il me suffirait d'aller la voir pour en avoir le cœur net, excusez mon indiscrétion, et lui demander simplement ce qu'elle est en train de lire, qui a l'air si passionnant. Comment le prendrait-elle? Est-ce que je dois me préparer à une petite déconvenue? Risquer de brouiller son image?

Elle se gratte le bras, remonte une bretelle, corne un peu du doigt le haut de la page pour la tourner plus vite. Depuis quand est-elle là? Va-t-elle fermer le livre, se lever? Mais elle ne paraît pas pressée d'en finir. Non, elle n'attend personne, sinon elle regarderait de temps en temps vers la porte, lèverait la tête quand quelqu'un arrive. Est-ce que je vais laisser passer ma chance? Sa deuxième chaussure a glissé par terre.

Je la regarde, avec cette tache sur le visage, comme une blessure, qui la rend si émouvante. J'ai tout mon temps, moi aussi. Je ne la dérangerai pas. Oui, c'est une femme dans mon genre. Et c'est un de mes livres que je lui mets dans les mains. Pour achever un rêve, ou un fantasme. Mon nom est sur la couverture. Lequel lit-elle? L'un ou l'autre, peu importe, elle les connaît tous. Pour m'y retrouver, chaque fois. C'est ma lectrice. Celle que j'ai toujours espéré croiser, un jour. Dans la rue. Le métro. Dans un café. Elle ne sait pas que je suis là. Elle ne sait même pas qui je suis. Elle ne m'a jamais vu. Mais j'occupe toutes ses pensées.

Je l'ai laissée finir tranquillement sa lecture, jusqu'à ce qu'elle quitte le café, en m'emportant avec elle.

119

Le Canon des Gobelins, 25 avenue des Gobelins, 13ᵉ, p. 79

Le Cardinal, 1 boulevard des Italiens, 2ᵉ, p. 39

Carette, 4 place du Trocadéro, 16ᵉ, p. 51-52

Le Carillon, 18 rue Alibert, 10ᵉ, p. 75

Le Café Central, 14 Herrengasse, Vienne (Autriche), p. 63

Le Cépage Montmartrois, 65 rue Caulaincourt, 18ᵉ (s'est appelé Chez Manière, du temps de Maigret, puis Le Disque bleu, à l'époque d'Antoine Doinel et de *Baisers volés* de Truffaut), p. 56

Le Certa, passage de l'Opéra, galerie du Baromètre, 9ᵉ (emporté par la destruction du passage de l'Opéra en 1925 déplacé 5 rue de l'Isly, 8ᵉ), p. 32

Café Charlotte, 4 rue Belgrand, 20ᵉ, p. 86-92

Clichy's Tavern, 128 bis boulevard de Clichy, 18ᵉ, p. 72

La Closerie de Passy, boulevard Delessert, 16ᵉ (auj. une banque), p. 58

Le Cluny, 20 boulevard Saint-Michel, 6ᵉ (auj. une pizzeria), p. 63

Comptoir Voltaire, 253 boulevard Voltaire, 11ᵉ, p. 75

Le Condé, café fictif, inspiré de Chez Moineau, 22 rue du Four, et situé dans « le quartier de l'Odéon », 6ᵉ, p. 58

Le Corona, 2 rue de l'Amiral-de-Coligny, 1ᵉʳ, p. 58

Le Café du Croissant, 146 rue Montmartre, 2ᵉ, p. 72

Café des Dames, 8 avenue de Villiers, 17ᵉ, p. 84-86

Le Dante, à l'angle de la rue Dante et du boulevard

Saint-Germain, à l'emplacement auj. du Quartier Général, 82 boulevard Saint-Germain, 5ᵉ, p. 58

Les Deux Magots, 6 place Saint-Germain-des-Prés, 6ᵉ, p. 66-70

Le Dôme, 108 boulevard du Montparnasse, 14ᵉ, p. 62

Le Dôme de Villiers, 4 avenue de Villiers, 17ᵉ, p. 107

Café de l'Europe, 27 rue Audry-de-Puyravault, Rochefort-sur-Mer (auj. Bistrot de la Paix), p. 29

L'Excelsior (« *English & Americain Bar* », auj. disparu), 81 avenue de la Grande-Armée, 17ᵉ, p. 63

Café de Flore, 172 boulevard Saint-Germain, 6ᵉ, p. 62, 67

Café Francœur, 129 rue Caulaincourt, 18ᵉ, p. 109-113

Au Général La Fayette, 52 rue La Fayette, 9ᵉ, p. 37-38, 79

Chez Guilleminot, à l'époque de Picasso et son ami Casagemas, auj. le Clichy's Tavern (voir ce nom), p. 70

Les Hortensias, 4 place du Maréchal-Juin, 17ᵉ, p. 58

L'Impasse, 4 impasse Guéménée, 4ᵉ (auj. Le Gorille blanc), p. 57

Ladurée, 16-18 rue Royale, 8ᵉ, p. 51

Café Mahieu, 65 boulevard Saint-Michel et 23 rue Soufflot, 5ᵉ (auj. un établissement de restauration rapide), p. 67

Chez Manière, voir Le Cépage Montmartrois

Le Marceau, 39 avenue Marceau, 16ᵉ, p. 62

Le Métro, 18 place Maubert, 5ᵉ, p. 53

Les Ministères, 83 rue de l'Université, 7ᵉ, devenu sous

ce nom un café fictif situé par Simenon à l'emplacement du Rouquet (voir ce nom), p. 78

Le Nord Sud, 79 rue du Mont-Cenis, 18ᵉ, p. 33

La Nouvelle Athènes, 9 place Pigalle, 9ᵉ (auj. un magasin bio), p. 96

Les Oiseaux, 12 place d'Anvers, 9ᵉ, p. 93-96

Le Paris Rome, 62 boulevard des Batignolles, 17ᵉ, p. 16-18, 32, 79

Le Petit Cambodge, 20 rue Alibert, 10ᵉ, p. 75

L'Auberge du Petit Chevreau, 22 rue de la Huchette, 5ᵉ (auj. L'Auberge du Moulin), p. 73

Au Rêve, 89 rue Caulaincourt, 18ᵉ, p. 55, 59

Le Café Riche, 1 rue Le Peletier et 16 boulevard des Italiens, 9ᵉ (auj. une banque), p. 39

Le Ritz, 15 place Vendôme, 1ᵉʳ, p. 52

Le Rocher, 128 boulevard Saint-Germain, 6ᵉ (auj. un bureau de tabac), p. 63

Le Rostand, 6 place Edmond-Rostand, 6ᵉ, p. 67

La Rotonde, 7 place du 25-Août-1944, 14ᵉ, p. 58

Le Rouquet, 188 boulevard Saint-Germain, 7ᵉ, p. 78

Le Rubis, 10 rue du Marché-Saint-Honoré, 1ᵉʳ, p. 48-50, 79

Le Ruc Univers, 159 rue Saint-Honoré, 1ᵉʳ (auj. Café Ruc), p. 58

Chez Saïd, boulevard des Philosophes, Genève (Suisse), p. 62

Le Saint-Claude, 139 boulevard Saint-Germain, 6ᵉ (auj. la boutique d'un fabricant de bottes en caoutchouc faites main), p. 67

Composition PCA/CMB.
Achevé d'imprimer
par l'Imprimerie Floch
à Mayenne, le 21 mai 2019.
Dépôt légal : mai 2019.
Numéro d'imprimeur : 94412.
ISBN 978-2-7152-5326-1 / Imprimé en France.

355703